«*Hijos diferentes, necesidade*
completos que he leído acerc
fácil e incluye un formato d a medida que se lee, lo cual capacita al lector para aprender nuevos métodos y procedimientos sobre la crianza de los hijos en un formato de paso a paso. Los resultados son que nos vamos a entender mejor a nosotros mismos como padres y madres, y también a nuestros hijos con sus muchas diferencias y rasgos distintivos. Charles Boyd entrelaza la información a ciertos básicos "Algo para hacer" que son prácticos y traen luz al tema. Creo que este libro va a hacer una diferencia positiva en las familias que se preocupan lo suficiente como para aplicar sus enseñanzas».

ZIG ZIGLAR
PRESIDENTE, *ZIG ZIGLAR CORPORATION*

«Uno de los errores más comunes que cometemos como padres y madres es suponer que nuestros hijos "son como yo". Un padre a quien le gusta ser líder y tomar riesgos, por ejemplo, puede sentirse frustrado con un hijo que es cauteloso y que se mueve a un paso más lento. *Hijos diferentes, necesidades diferentes* ofrece ayuda práctica a todo padre y madre que en realidad quiera entender el comportamiento de sus hijos y hacer los ajustes necesarios para suplir sus necesidades particulares. Este libro le ayudará a ver a sus hijos de una manera completamente diferente».

DENNIS RAINEY
DIRECTOR EJECUTIVO, *FAMILYLIFE*

«Dios creó a cada niño con una inclinación específica. Charles Boyd le ayudará a descubrir esa inclinación y le mostrará cómo ayudar a sus hijos a cumplir el destino que Dios tiene para ellos».

DR. STEVE FARRAR
AUTOR DEL ÉXITO DE LIBRERÍA *POINT MAN*

«Tengo el privilegio de conocer a Charles Boyd desde hace muchos años, y lo he visto desarrollar un notable ministerio para padres y madres a través del país. Ahora él ha tomado muchos de esos probados principios y ha credo una herramienta poderosa para construir familias unidas, el libro titulado *Hijos diferentes, necesidades diferentes.* Si está listo para disminuir las distancias en su hogar y aumentar la intimidad, la reflexión y la comunicación, este libro es para usted».

JOHN TRENT
PRESIDENTE, *ENCOURAGING WORDS*

«A los padres y a las madres se nos pueden crispar los nervios con solo lidiar con las personalidades de nuestros hijos, y qué decir si queremos entender cómo suplir sus necesidades en forma adecuada. *Hijos diferentes, necesidades diferentes* presenta de manera maravillosa el valor increíble de esas diferencias, proveyendo respuestas para adaptar nuestros estilos de criar a nuestros hijos de acuerdo a cada uno de ellos. Recomendamos este libro sin reservas, no hay nada en el mercado como él».

DR. GARY Y BARBARA ROSBERG
FUNDADORES DE *AMERICA'S FAMILY COACHES* Y
AUTORES DE LAS CINCO NECESIDADES
DE AMOR DE HOMBRES Y MUJERES

Hijos diferentes, necesidades Diferentes

Entienda la personalidad única de su hijo o hija

Charles F. Boyd

Publicado por
Editorial Unilit
Miami, Fl. 33172

Primera edición 2003

Originalmente publicado en inglés con el título: *Different Children, Different Needs* por Multnomah Publishers, Inc. 204 W. Adams Avenue, P. O. Box 1720 Sisters, Oregon 97759 USA

Traducido al español por: Raquel Monsalve
Fotografías de la cubierta por: PhotoDisc

Producto 495295
ISBN 0-7899-1091-8
Impreso en Colombia
Printed in Colombia

Contenido

A mis padres Frank y Betty Boyd,
que me permitieron ser yo mismo.
A mi esposa Karen que me está ayudando
a ser más de lo que hubiera podido solo.
Y a mis hijos Chad, Kristi y Callie, es mi oración
que sean los que más se beneficien
del material de este libro.

Prefacio

Este no es un libro. Bueno, sé que se ve como un libro y se siente como un libro. Pero quisiera pedirle que no pensara en él como un libro; por lo menos, no como ve a la mayoría de ellos.

La mayoría de los libros son leídos y luego se colocan en un estante. Informan y entretienen, pero después que se leen se olvidan. Aun los consejos en los libros de «Cómo hacer algo» a menudo se olvidan. Las tiendas de libros usados están llenas de libros que la gente pensó que no eran lo suficientemente valiosos como para conservarlos.

Espero que eso no suceda con este libro. El contenido de las siguientes páginas puede darle forma a su modo de pensar en cuanto a su tarea de padre o madre de maneras que tal vez no espere. Es mi oración que cuando termine de leer la última página no sea la misma persona, o por lo menos que no piense de la misma manera, en cuanto a su cónyuge, sus hijos, sus padres o cualquier otra persona. Este material tuvo esa clase de impacto para mí y para mi esposa Karen, y lo he visto lograr lo mismo en las vidas de aquellos que asisten a seminarios sobre la crianza de los hijos y el matrimonio que presentan lo que usted va a leer.

Ahora bien, este no va a ser el último libro que leerá sobre la crianza de los hijos. Lejos de ello. Hay muchas cosas que necesita saber sobre la crianza de los hijos que no se mencionan en este libro. En la parte de atrás he incluido una sección de recursos para ayudarle mientras busca equiparse para ser un mejor padre o madre.

Hijos diferentes, necesidades diferentes establece un fundamento importante. Basados en la enseñanza bíblica de Proverbios 22:6, los principios en este libro pueden llegar a ser «la columna vertebral» de todo lo que usted hace como padre o madre. Si no pone en práctica el principio fundamental que se presenta en las siguientes páginas, sus hijos serán afectados en forma negativa. Pero si toma Proverbios 22:6 con seriedad y busca aplicar lo que encuentre en este libro, sus hijos llegarán a entender cómo Dios los ha diseñado y dotado. Van a crecer con un sentido de confianza y de aceptación.

Reconocimientos

Muchas personas han desempeñado papeles importantes en cuanto a ayudarme y animarme a escribir este libro. En forma especial quiero agradecer al grupo de liderazgo de *Carlson Learning Company,* quienes me han apoyado en este esfuerzo: Tom Ritchey, Sara Lykken, Barbara Meiss y Clyde Hanson.

Varios asociados y amigos también me han ayudado. Rich Meiss hizo que mi primer libro publicado, *The Couple's Profile,* fuera una realidad, y eso llevó a muchas otras puertas abiertas. Dan Kaufman, Rosemarie Magee, Charlotte Miller, Brian Briley y Kay Dalby leyeron los primeros manuscritos e hicieron muchas sugerencias útiles.

Mis conversaciones telefónicas con Sandra Merwin y Robert Rohm, que son narradores de historias por excelencia, fueron muy alentadoras e informativas. Las conversaciones a la hora del almuerzo con Dave Tarpley me alegraron y me mantuvieron escribiendo cuando quería dejar de hacerlo.

Steve Farrar me animó, en primera instancia, a escribir un libro sobre este tema, y luego me ayudó a realizar los primeros contactos con casas publicadoras, lo que me llevó a que firmara con la casa editorial Multnomah. Con mucha amabilidad Wes Neal me permitió adaptar su notable material sobre los puntos fuertes y las debilidades e incluirlo en el Apéndice A.

Ha sido muy agradable trabajar con el equipo de Multnomah de Donald Jacobson y compañía.

Doug Daily me presentó el modelo DISC de tal manera que literalmente me ha cambiado la vida.

Durante muchos años, mi amigo y colega Rober Rohm, doctor en Filosofía y Letras, ha sido mi asesor de confianza. Desde el principio colaboramos en el formato básico y en la presentación del modelo DISC. El doctor Rohm no solo tiene un buen entendimiento de la teoría DISC, sino que también tiene notable habilidad de hacer comprensible lo que otras personas ven como complejo. Sus historias e ilustraciones han ayudado a que este libro cobre vida.

A pesar de la ayuda y sugerencias de las personas que se nombraron antes, este libro no habría llegado a la imprenta de no haber sido por Dave Boehi. Él me ayudó con su habilidad, creatividad y pericia, a pulir, filtrar, refinar y aclarar mis pensamientos y repeticiones. Trabajó arduamente para cumplir con las fechas de entrega, como bien lo sabe su familia. No lo podría haber logrado sin su ayuda.

Quisiera mencionar que la mayoría de los ejemplos que he usado en este libro son de las experiencias de mi familia, pero muchos otros son de las experiencias de otras personas que han tenido la disposición de compartir conmigo, pero me pidieron que no se hiciera mención de sus nombres.

PARTE UNO

«INSTRUYE AL NIÑO...»

CAPÍTULO UNO

Contaminación paterna o materna

«¿Por qué no puede mi madre aceptarme tal como soy? Cada vez que estoy con ella me recuerda que no sé coser como ella, que no cocino como ella, y que no mantengo mi casa tan limpia y ordenada como ella. Critica mi modo de vivir y me acusa de ser vanidosa. Siempre ha tratado de convertirme en alguien que no soy. Y cada vez que estamos juntas, me critica».

¡Cuántas veces he escuchado estas palabras! Cuántas veces también he visto a un hijo afligido, sentado frente a mí en mi oficina, buscando ayuda para tratar con un padre o una madre que no entiende lo que hace que sea especial, lo que hace que sea único. Lo que encuentro más sorprendente es que estos hijos tienen más de treinta o cuarenta años y todavía enfrentan un problema básico que nunca fue resuelto cuando eran más jóvenes.

Esta vez las palabras salieron de los labios de Rebeca. Se le llenaron los ojos de lágrimas mientras las palabras se disolvieron en dolor. Tomó un pañuelo y se deshizo en llanto. El último choque con su madre había ocurrido solo unas horas antes de venir a verme.

Rebeca había ganado un premio por su trabajo de voluntaria en una organización cívica, y había llamado por teléfono a su madre para contarle las buenas noticias. Cuando comenzó a describir el banquete de reconocimiento y el premio que había recibido, su madre la interrumpió y le dijo: «Nunca me interesaron mucho esos clubes sociales y esa clase de cosas. Deberías pasar tu tiempo en alguna actividad más constructiva, en lugar de revolotear y querer ser el centro de la atención pública. Esa clase de cosas hace que la gente se enorgullezca y crea que es mejor que los demás».

Rebeca no tuvo la oportunidad de explicarle a su madre que ella había sido reconocida por su trabajo con los niños pobres del centro de la ciudad. Todo lo que ella escuchó fueron críticas. «Hoy es uno de los días más importantes de mi vida —me dijo Rebeca—, y ella ni siquiera me pudo decir "Te felicito", mucho menos "Estoy orgullosa de ti"».

Ella siempre había sido una niña extrovertida, que entablaba amistad con mucha facilidad y a quien le gustaba estar con la gente. Era de naturaleza entusiasta en cuanto a casi cualquier tarea que quería hacer, y a menudo era capaz de persuadir a otras personas a que se unieran a ella. Era el tipo de persona a la que le cuesta ocultar sus emociones, un hecho que algunas veces odiaba; pero esa característica hacía que sus amigos la apreciaran más, porque sentían que podían ser ellos mismos cuando estaban con ella.

Su madre era muy diferente. Era una mujer callada, cautelosa y se sentía incómoda en grupos grandes. Le gustaban las conversaciones tranquilas, coser y leer buenos libros. Mantenía su casa muy limpia y se ponía nerviosa cuando las cosas no estaban en su lugar.

Mientras Rebeca crecía, se encontraba constantemente en problemas por no limpiar la casa de acuerdo con las normas de su madre. «No puedo decirle cuántas horas tenía que trabajar los sábados, limpiando los muebles una y otra vez hasta que no quedaba ni un una mota de polvo. No podía satisfacer a mi madre».

En su pequeña ciudad, Rebeca siempre parecía encontrar un lugar destacado. Y cada vez que eso sucedía, su madre la regañaba por ser presumida. Cuando actuó en una obra de su escuela, su madre le advirtió que podía llegar a ser vanidosa si continuaba buscando aplausos. Cuando llegó a formar parte del grupo de animadoras de juegos deportivos, su madre le dijo: «No puedo entender cómo una muchacha sensata puede pensar que *eso* es un logro».

Rebeca se sentía como prisionera de los «deberías» y «no deberías» de su madre. Una mujer de treinta y cinco años, casada, madre de dos hijos, y todavía no estaba libre. No podía disfrutar del reconocimiento que había obtenido porque en su alma tenía sed de recibir la aprobación de la mujer que parecía no poder dársela.

Rebeca estaba un poco sorprendida de que su hija Laura, de diez años, tuviera una relación muy buena con su abuela. «Mi mamá y Laura se llevan muy bien. Mi hija parece estar muy contenta cuando está con ella, leyendo libros o jugando con sus muñecas. *Pero yo estoy determinada a que ella salga y haga amistades, a que conozca personas y disfrute la vida*».

¿Se dan cuenta de la ironía de esto? Sin darse cuenta, Rebeca estaba repitiendo el patrón que le había causado tanta angustia. El problema había pasado a una generación más.

Doblegando a nuestros hijos

Rebeca estaba luchando con un problema muy antiguo que llamo «contaminación paterna o materna». Todos hemos heredado algo de eso y también les vamos a pasar algo a nuestros hijos.

¿Qué es la contaminación paterna o materna? Es criar a nuestros hijos de la forma en que *pensamos* que deberían ir... o como queremos que vayan.

Eso no parece ser malo, ¿no es verdad? Después de todo, ¿qué padre o madre no quiere lo mejor para sus hijos? Queremos que ellos tengan confianza, que sean competentes y hábiles; que se sientan amados, cuidados y valorizados. No tenemos la intención de frustrarlos o de doblegarlos.

Sin embargo, con demasiada frecuencia suponemos que lo que es «mejor» para ellos es que deben vivir su vida de acuerdo con el libreto que ha tenido buen resultado para nosotros. Sin darnos cuenta estamos tratando de crear copias fieles y exactas de nosotros mismos.

Un problema relacionado se ve en el padre o la madre a quien no le gustan ciertos aspectos de su propia personalidad o comportamiento. Esta persona no quiere que sus hijos experimenten los mismos fracasos que ella ha experimentado, así que si nota que sus hijos se comportan como ella, trata de eliminar ese comportamiento.

En cualquiera de los casos estamos tratando de doblegar a nuestros hijos sin tener en cuenta la forma que Dios ha infundido en ellos. Muchos de los problemas relacionados con la poca confianza en sí mismo y con la falta de amor propio provienen de los padres o las madres que no han aceptado a sus hijos de la forma en que Dios los había hecho.

Una escritura que se menciona mucho coloca una piedra fundamental para criar a los hijos con eficacia:

> Instruye al niño en el camino correcto, y aun en su vejez no lo abandonará (Proverbios 22:6).

Muchos cristianos suponen que este versículo simplemente nos instruye a que llevemos a nuestros hijos a la iglesia, que los mantengamos en la escuela y que nos preocupemos de que no consuman drogas ni se involucren en problemas. Entonces, si en forma temporal se desvían del sendero angosto y derecho, cuando son mayores van a volver a las normas morales y al estilo de vida en que se criaron.

Mi problema con esta interpretación es que cada hijo tiene la capacidad de tomar sus propias decisiones. No considera la voluntad individual del niño. He visto a muchos niños que fueron criados en buenos hogares cristianos que, sin embargo, se han descarriado. Y algunos jamás han regresado a sus raíces espirituales.

La interpretación correcta de Proverbios 22:6 tiene un significado radicalmente diferente. La frase «en el camino correcto» no se refiere a un sendero señalado que todas las personas deberían seguir. En la lengua hebrea, la frase es mejor expresada «de acuerdo con su camino». Y la palabra hebrea para camino es *derek,* que literalmente significa doblado o torcido y se refiere a un designio o camino interior y único.

Por lo tanto, una versión más precisa de este versículo sería:

> Adapta el adiestramiento de tu hijo
> de la forma en que funcione con su designio natural;
> y cuando llegue a la madurez,
> no se apartará de ese modelo de vida.

En realidad este versículo nos instruye a criar a nuestros hijos de acuerdo con la naturaleza de ellos.

Un metal que recuerda

Hace poco miré en la televisión un episodio de un programa llamado «Más allá del año 2000», y aprendí algo en cuanto a un nuevo tipo de metal. Esta «aleación que fue hecha con memoria», como la llamaron, puede ser programada para «recordar» cierta forma. Si esa forma original fuera distorsionada (ya sea al torcerla o doblarla con las manos, por ejemplo), simplemente podría ser restaurada al pasar el metal por agua caliente. Imagínese que se hicieran automóviles de ese metal. Si tiene una abolladura, simplemente lleva su automóvil a un lugar donde los lavan y se vería tan bien como cuando era nuevo.

Como padres y madres debemos descubrir los estilos naturales de nuestros hijos y ayudarlos a crecer de acuerdo con esa forma única que han nacido y que ha sido diseñada por Dios. A medida que experimentan los choques de la vida, estarán más inclinados a volver a quienes son en realidad, más bien que quedar doblados en forma permanente. Y su amor propio quedará intacto.

Criar a un hijo de acuerdo con esta característica no es tan fácil como parece. Por lo general, nos sentimos más cómodos con las personas que son como nosotros. Piense en sus amistades. Es posible que conozca a mucha gente con diferentes tipos de personalidades, pero hay una clase de persona que a usted le gusta más. Nuestra tendencia es que nos gusten más las personas que son como nosotros.

He observado que muchas empresas tienden a reflejar la personalidad de sus directores. Si esa persona es decidida y emprendedora, su tendencia natural es ver esas cualidades como esenciales para el liderazgo. Es posible que vea como lentos e ineficaces a los empleados que son más cautelosos o que su orientación es hacia las personas.

A través del tiempo, comienza a notar que las personas en cargos altos dentro de una compañía parecen tener el mismo estilo de comportamiento que sus directores. Algunas veces da buenos resultados, pero otras veces no, porque el líder no reconoce que situaciones diferentes requieren diferentes estilos de liderazgo.

Lo mismo sucede con los niños. Dios les da a muchos padres, hijos cuyas características a veces parecen sacarlos de quicio. Cuando estas características los molestan, desean que esas diferencias desaparezcan y tratan de reemplazarlas con las cualidades que valoran. Muchas veces quieren formar a sus hijos a su propia imagen.

Si desea tener una relación apropiada con sus hijos, debe entender quiénes son de acuerdo a cómo Dios los diseñó. Debe dejar de lado lo que *usted* quiere que ellos lleguen a ser y dedicar tiempo a aprender quiénes *son en realidad.*

No me malentienda; no estoy sugiriendo que deje que sus hijos estén a cargo de su propio rumbo. Ellos necesitan que se les supervise y guíe. Necesitan aprender a vivir y a cómo no vivir. Necesitan que les ayude a desarrollar convicciones y carácter.

A medida que persigue estas metas, sin embargo, es importante que entienda cómo adaptar la forma en que cría a sus hijos de acuerdo con sus necesidades individuales. Por un lado, su tarea es dirigir y dar forma a sus hijos mientras crecen, por otro lado, debe proveer el ambiente hogareño y el apoyo que necesitan para permitir que sus características *naturales* se desarrollen.

La parábola de las plantas

Imagínese que tiene dos hijos. Mírelos como dos semillas diferentes que Dios ha colocado en sus manos. Dios no le dice qué clase de planta van a llegar a ser esas semillas, solo le dice que las cultive para que crezcan sanas y den fruto.

Usted sabe que hay ciertas cosas que necesita una planta: agua, luz del sol, suelo rico y monóxido de carbono. Usted provee las cosas básicas y al poco tiempo esas semillas comienzan a brotar. Muy pronto tiene dos plantas pequeñas, verdes y que crecen.

Con cada semana que pasa, comienzan a verse diferentes. Pronto florecen y comienzan a producir los primeros brotes de fruta. Entonces se da cuenta de que le dieron un manzano y un naranjo.

Esta es una parábola sobre la crianza de los hijos. Cuando Dios le da hijos, con frecuencia le da naranjas y manzanas, y tal vez algunas peras y duraznos. Usted les da a sus hijos las mismas cosas básicas: amor, apoyo, caricias amorosas, les hace sentir que son importantes y que son parte de la familia. Pero a medida que crecen, comienza a notar las cosas que hacen que cada hijo sea único y especial, y usted ajusta su estilo de crianza para cultivar a cada hijo de acuerdo con sus tendencias naturales.

Entender el estilo personal de cada hijo es solo la mitad del desafío para vencer la contaminación paterna o materna. También debe aprender cómo Dios lo diseñó a usted.

Saber quién es usted y cómo se siente en cuanto a sí mismo es una parte muy importante sobre cómo se relaciona con sus hijos.

Debe ser consciente de cómo su propio estilo puede complementar o chocar con el estilo de sus hijos.

En los próximos capítulos trataremos sobre «el arte de hacer ajustes en la crianza de los hijos», o criar a los hijos con un propósito, un enfoque que abarca cómo Dios lo ha diseñado a usted y cómo ha diseñado a sus hijos. Le mostraré un modelo simple y práctico que le ayudará a:

- Entender sus propias características naturales y la forma en que afectan su estilo de criar a sus hijos;
- Descubrir el diseño singular de sus hijos;
- Comparar su estilo y necesidades a los de sus hijos;
- Ajustar su estilo de criar a sus hijos para suplir mejor las necesidades de ellos;
- Mejorar la comunicación entre usted y sus hijos;
- Reducir esferas comunes de conflicto;
- Crear una atmósfera de aliento y cooperación en su hogar.

El resultado final es el siguiente: criar a los hijos por diseño es un método que puede usar para ajustar su crianza de tal forma que supla las necesidades de cada uno, y no es necesario que tenga un diploma en sicología para entenderlo.

Este libro va a cambiar en forma permanente la manera en que mira a sus hijos. Le va a proporcionar un lenguaje que describe y honra las diferencias que observa en ellos. Aprenderá técnicas que ayudan a la interacción con hijos diferentes de maneras diferentes, de acuerdo con las características individuales de cada uno.

Como resultado sus hijos se van a sentir que son de gran valor, y que usted los entiende, los acepta y respeta por quiénes son y no por quiénes usted quiere que sean. Esto les va a permitir que crezcan con un sentido saludable de amor propio y una tolerancia mayor por los diferentes tipos de personas que llegan a su vida.

Lo que lea en este libro no le va a dar la respuesta a todos los problemas en cuanto a la crianza de los hijos. Hay muchos otros principios para criar a los hijos que debe aprender y aplicar. En el Apéndice C he incluido una lista de libros recomendados sobre la crianza de los hijos que tratan sobre muchos de esos principios.

Creo que Proverbios 22:6 es el punto de partida. Si no conoce a su hijo, no lo puede entender. Si no lo comprende, no le puede comunicar su amor.

Es probable que haya conocido a muchos adultos como Rebeca. Tal vez la historia refleje su propia experiencia con sus padres. La buena noticia es que puede cortar el fluido de la contaminación paterno o materno al aceptar a sus hijos por quiénes son. Y al hacerlo, los libera para llegar a ser los hombres y las mujeres que Dios quiere que sean.

CAPÍTULO DOS

El epitafio de lo inaceptable

Como pastor, una de las responsabilidades más importantes que he asumido es la de ser «capellán de desayuno» en un restaurante McDonald local. A través de los años he llegado a conocer a muchos de los clientes matutinos regulares, y debido a que siempre estoy trabajando en algún proyecto, me preguntan: «¿En qué está trabajando hoy?»

Una de esas personas se llama Amy, es profesora de inglés en una secundaria de la localidad. Hace poco cuando le conté sobre mi proyecto más reciente, este libro, me dijo: «Tengo algo que debe leer». En nuestra siguiente reunión me entregó un montón de papeles que sus alumnos habían escrito. Pocas cosas me han afectado tanto como lo que leí ese día. La contaminación paterna o materna comienza temprano en la vida y tiene efectos devastadores en nuestros hijos.

Amy les había dado dos asignaciones a sus alumnos. Una era escribir un poema de «soluciones». Varios de los alumnos escribieron en cuanto a tratar de complacer a sus padres y madres. He aquí un ejemplo:

Complaciendo a mis padres

Me gustaría mucho hacer feliz a mi mamá y a mi papá.
Y trato, y trato, y trato.
Y nunca lo consigo.
Trabajo demasiado despacio
Y no hago lo suficiente.
Por favor, ayúdenme a entender.
¿Qué es lo que hago?
Algunas veces tengo ganas de desistir.
Sé que me debo comunicar,
Aunque parezca imposible.
Es un límite que está formado por una pared de acero.
Pero lo voy a vencer.

Los escritos de la segunda asignación expresaban aun más dolor: «Escriban su propio epitafio». Mientras lo leía capté una vislumbre de la desesperación que sienten algunos jóvenes a medida que buscan entender la posición que ocupan en el mundo. Una jovencita, a quien Amy describió como «muy alegre, casi angelical», era evidente que tenía mucho más en la procesión que iba por dentro que lo que dejaba ver en la superficie.

Había una vez una muchacha,
Que se llamaba Sara.
Desde afuera parecía perfecta,
Pero por dentro tenía muchos problemas.
Debido a que ella era la mayor de cuatro hermanas,
Era mucha la presión que ponían en ella.
Ya no podía soportar más la vida,
Sus notas bajaban cada vez más y
Sus principios morales no eran los correctos.
Sara salió con sus supuestos «amigos»,
Y nunca regresó al hogar.
Su cuerpo sin vida fue encontrado
flotando en el río el 2 de julio de 1992.

Y entre estos escritos estaba el «Epitafio de lo inaceptable». Fue una obra muy creativa y de tono casi surrealista y, sin embargo, se podía ver allí a otra muchacha gimiendo porque alguien le dijera que era amada y que tenía gran valor, de la forma que era:

Epitafio de lo inaceptable

Cuando nací, mi primera inclinación fue vivir.
Pero la sustancia inaceptable de la sociedad me mató la mente.
No sabía por qué esos rituales nominalmente provechosos apenas me rozaron el subconsciente.
Tal vez mi mente era demasiado complicada para que ellos la aceptaran.
Estas desventajas prescritas por la tradición.

Una tradición de obstaculizar la mente, este maravilloso producto de características eternas.
Se dijo alguna vez que la vida es una madeja de lana enredada, tan enredada que se puede ahogar la individualidad de todo lo que es original.
Al cerrar, debo formular una pregunta,
Es una opinión,
¿Es esto la vida?
¿O es esto la muerte?

Cultive la originalidad de cada niño

¿Qué hace que los niños se sientan de esta manera? ¿Qué les hace llegar a la conclusión de que complacer a sus padres es tan difícil como penetrar una pared de acero? Ningún padre o madre querría que su hijo escribiera un poema como estos. Pero, ¿qué están haciendo los padres que causan que sus hijos se sientan tan desesperados?

A medida que un niño crece va aprendiendo más sobre sí mismo, lo que le gusta y lo que le disgusta, lo que puede hacer y lo que no puede hacer. Dentro de esta originalidad se va formando su identidad, y si el niño es aceptado por la persona que es, puede crecer confiado y competente, con un amor propio saludable. Sin embargo, si se ejerce presión en el niño para que se conforme a lo que el padre y la madre quieren que sea, entonces crecerá sintiéndose inadecuado y menos seguro de sí mismo.

La clave es que cada padre y madre debe descubrir y cultivar la originalidad de cada uno de sus hijos. Para que ellos se desarrollen, debe valorar su individualidad. Esto nos lleva de vuelta a nuestra premisa básica para la crianza de los hijos: *Criar a los hijos en el camino correcto.* Como lo describe la autora Elizabeth O'Conner:

> La vida de cada niño da indicios y señales de la forma en que él debe ir. Los padres que saben meditar, guardan esos indicios y señales en su memoria y luego reflexionan sobre ellos. Debemos atesorar esas señales del futuro de la vida que cada niño nos da, para que en lugar de inconscientemente poner estorbos en su camino, lo podamos ayudar a cumplir su destino. Este no es un camino fácil de seguir. En lugar de

decirles a nuestros hijos lo que deben hacer y qué deben llegar a ser, debemos ser humildes ante su sabiduría, creyendo que es en ellos y no en nosotros donde reside el secreto que necesitan descubrir.[1]

Una creación admirable

La Biblia tiene muchos pasajes alentadores que describen la singularidad de cada persona. Uno de mis favoritos es el Salmo 139:13-16, que describe el toque especial de Dios al hacer a cada individuo especial y diferente:

> Tú creaste mis entrañas;
> me formaste en el vientre de mi madre.
> ¡Te alabo porque soy una creación admirable!
> ¡Tus obras son maravillosas,
> y esto lo sé muy bien!
> Mis huesos no te fueron desconocidos
> cuando en lo más recóndito era yo formado,
> en lo más profundo de la tierra era yo entretejido.
> Tus ojos vieron mi cuerpo en gestación:
> todo estaba ya escrito en tu libro;
> todos mis días se estaban diseñando,
> aunque no existía uno solo de ellos.

El idioma original del Antiguo Testamento fue el hebreo. En esa lengua, la palabra «entretejido» se refiere a los complejos diseños de colores de un tejido o bordado, Esa palabra cobró significado especial para mí cuando hace poco mi esposa Karen y yo compramos una pequeña alfombra oriental para la entrada de nuestra casa. Mientras hablábamos con el vendedor, me asombró saber cómo se hacían las alfombras.

Cada alfombra se coloca en su propio telar. Hilos largos del mismo material, color y grosor se colocan en forma vertical afirmados al telar. Entonces, pedazos individuales de lana teñida se atan a mano a las hebras verticales. Se escogen diferentes colores y se colocan estratégicamente para lograr un diseño complejo.

Una alfombra oriental de alta calidad tiene, por lo menos, unos cien nudos por 2,5 centímetros cuadrados de diseño y más de tres millones de nudos en una alfombra de 2,5 metros por 3,5 metros. Dependiendo de cuántos tejedores trabajan en una alfombra de esa medida puede llevar más de dos años completarla.

El empleado nos dijo que lo que en realidad hace que las alfombras se destaquen, es lo que procede de la mente y la personalidad del tejedor más experto o el «maestro». Mis pensamientos saltaron al Salmo 139. Cada uno de nosotros es un tapiz único, tejido con diseños complejos y colores diferentes. Piense en esto: Más de seis mil millones de personas en nuestro planeta y no hay dos personas iguales.

Dios los creó a usted y a sus hijos con amor y sabiduría infinitos, y ustedes reflejan su imagen. Dios mismo hizo el tejido cuando estaban en el vientre de sus madres. Qué poderoso recordatorio del gran valor que Él adjudica desde antes de nacer. Su diseño estaba hecho y sus días determinados por la mano de Dios, el Tejedor por excelencia.

Pero hay más. El salmista también habla de su constitución o «huesos». Leí muchos comentarios y diccionarios para investigar el significado original de este pasaje y encontré a un comentarista altamente respetado, el doctor H.C. Leupold, quien afirma que la palabra significa «fuerzas». Este autor tradujo la palabra con el significado de «potencialidades» o «habilidades». Este autor escribió: «El Creador sabía las capacidades que este ser humano tendría dentro de sí, puesto que Él mismo le dio todo lo que el ser humano tiene».[2]

Piense en esto. Cuando Dios lo hizo, colocó dentro de usted fuerzas y habilidades naturales. Él las tejió en el tapiz de su ser interior. Y esas habilidades y potencialidades son parte de su diseño único. Les fueron dadas para que las use para llevar a cabo cosas para el Señor.

Llenos de habilidades y entendimiento

Otro pasaje fascinante es Éxodo 35, donde se describe cómo Moisés y los israelitas construyeron el tabernáculo para que la nación pudiera recordar constantemente la presencia de Dios. Fíjese en todas las frases que revelan cómo Dios les dio a personas diferentes habilidades diferentes para construir el tabernáculo:

> Las mujeres expertas en artes manuales presentaron los hilos de lana púrpura, carmesí o escarlata que habían torcido, y

> lino. Otras, que conocían bien el oficio y se sintieron movidas a hacerlo, torcieron hilo de pelo de cabra.
>
> Moisés les dijo a los israelitas: Tomen en cuenta que el SEÑOR ha escogido expresamente a Bezalel, hijo de Uri y nieto de Jur, de la tribu de Judá, y lo ha llenado del Espíritu de Dios, de sabiduría, inteligencia y capacidad creativa para hacer trabajos artísticos en oro, plata y bronce, para cortar y engastar piedras preciosas, para hacer tallados en madera y realizar toda clase de diseños artísticos y artesanías. Dios les ha dado a él y a Aholiab hijo de Ajisamac, de la tribu de Dan, la habilidad de enseñar a otros. Los ha llenado de gran sabiduría para realizar toda clase de artesanías, diseños y recamados de lana púrpura, carmesí y escarlata, y lino. Son expertos tejedores y hábiles artesanos en toda clase de labores y diseños. Éxodo 35:25, 26, 30-35

Dios puso *capacidad creativa* y *sabiduría* en los corazones de diferentes hombres y mujeres para que llevaran a cabo tareas diferentes. Tenían pasión por esa clase de trabajos.

Cuando Dios lo hizo a usted, puso en su corazón puntos fuertes, capacidades, habilidades en potencia, pasiones, impulsos y motivaciones. Lo diseñó con una cierta manera de ser. Como resultado de ello, usted se siente realizado cuando actúa de acuerdo con su diseño y frustrado cuando no lo hace.

A propósito, Dios hizo lo mismo cuando diseñó a cada uno de sus hijos.

Su estilo de comportamiento

Para criar a sus hijos según el diseño de cada uno, es preciso que entienda que Dios los ha diseñado a usted y a sus hijos. Una de las indicaciones principales del diseño de Dios se puede encontrar en su comportamiento, en la forma en que ve las cosas y en la manera en que las hace. Cada persona tiene un estilo de comportamiento único.

Su estilo de comportamiento representa un papel dominante en cómo vive, porque es *permanente,* es *consecuente* y controla su comportamiento. Da evidencia de que usted no es una colección de posibilidades al azar, sino una persona dotada de dones y habilidades sumamente detalladas.[3]

Su estilo es permanente. Aunque su personalidad es influida por sus padres y maestros, y por las cosas buenas y malas que le suceden mientras crece, su estilo de comportamiento innato permanece con usted. Fíjese en estos ejemplos:

- Tomás era un niño que recibió distintivos de honor al mérito cuando tenía diez años y obtuvo el rango más alto en la organización de Niños Exploradores cuando tenía diecisiete años. Se graduó de la universidad con el título de ingeniero mecánico y obtuvo un trabajo con muy buen sueldo en una corporación muy conocida a los veinticuatro años. Cuando tenía treinta y siete años había escalado ya a la cima de su carrera.
- Cuando tenía diez años, a Carlos le gustaba mucho desarmar relojes y radios para ver cómo funcionaban. Cuando estudiaba en la universidad, con frecuencia se quedaba después de las clases para continuar con una asignación, tal como disecar el cerebro de una oveja o completar un paso más de un experimento químico. Ahora, a los cuarenta y dos años, trabaja de consultor para resolver problemas en una compañía farmacéutica grande del este del país.
- Mientras crecía, a Catalina le gustaba tener todo en su lugar. Pasaba horas organizando sus armarios y arreglando los muebles en su dormitorio. A los treinta años de edad, sus amigas la alababan por mantener su casa muy limpia y ordenada, a pesar de que trabajaba tiempo parcial en una tienda grande. Ahora que tiene cincuenta y un años, es la directora de eventos en una iglesia grande en el centro de la ciudad.
- Cristina era una niña de corazón tierno que se dormía llorando cuando veía que mataban a alguien en la televisión. Mientras asistía a la secundaria trabajaba de voluntaria en un hospital. Se graduó de asistente social en la universidad, ahora que tiene treinta y nueve años de edad trabaja con los niños pobres del centro de la ciudad y escucha con compasión a las personas que llegan a su consultorio de asesoramiento. Confiesa que todavía

tiene problemas para controlar sus emociones, y algunas veces se siente conmovida hasta las lágrimas en sus sesiones.

Un hilo común se desenvuelve a través de estas historias. En cada caso, el comportamiento individual permaneció constante, sin importar la edad o las circunstancias.

Por supuesto que a medida que camina con Cristo se volverá más espiritual y más maduro emocionalmente. Dios quiere que su *carácter* sea cada vez más como el de Cristo. Sin embargo, el estilo de comportamiento que le dio Dios cambia tanto como la naturaleza de un roble. Un roble puede tener hojas verdes durante una estación, color naranja durante otra, o puede no tener hojas, pero todavía es un roble. En algunas ocasiones, es posible que usted parezca diferente, pero el estilo fundamental de su comportamiento permanece igual.

Algo más: el hecho de que su estilo es permanente no quiere decir que se deba ver esclavizado a una manera de ser. Lo que digo es que hay un patrón de la forma en que usted es, y que ese patrón es consecuente.

¿Cuántas veces ha dicho sobre alguna persona: «Sabía que iba a actuar así», o «Actuó como siempre»? Nuestra tendencia es reaccionar a las personas o las circunstancias de una manera característica.

¿Cómo reacciona si ve que un semáforo cambia de verde a amarillo? ¿Tiene la tendencia de acelerar y cruzar en un intento de evitar la luz roja, o actúa en forma conservadora y frena? Lo más posible es que tenga un estilo en cuanto a «las luces amarillas» que es consecuente. Tal vez no haga siempre lo mismo, pero hace una cosa con más frecuencia que otra.

He aquí otra prueba para usted: Coloque este libro sobre la mesa o sus rodillas y cruce los brazos. Fíjese en sus brazos. ¿Colocó su brazo izquierdo sobre el derecho o viceversa? Ahora cruce los brazos de la otra forma. Se siente muy extraño, ¿no es verdad?

Al igual, usamos patrones de comportamiento en forma consecuente porque nos resultan cómodos, se ajustan a nosotros. No estoy diciendo que estamos encadenados a una forma de hacer las cosas, pero tendemos a repetir el mismo comportamiento en situaciones similares.

Su estilo también ejerce influencia en su comportamiento. Si le gustan los desafíos, tomará riesgos. Si le gusta inspirar a otras personas, va a buscar a gente a quien pueda liderar. Si su motivación es ser parte de un equipo, va a buscar un compañero. Si teme cometer errores, tomará las precauciones necesarias para asegurarse de que algo está correcto.

En su libro titulado *Finding a Job You Can Love* (Encontrando un trabajo que le guste), Ralph Mattson y Arthur Miller comentaron sobre este mismo concepto: «Usted y su patrón son uno. Usted busca trabajo, a las personas y la iglesia, la teología, la política (y todo lo demás en la vida que es importante para usted), a través de sus patrones de motivación, es decir, la forma en que ve las cosas y la manera en que actúa».[4]

De paso quiero decir que la personalidad y el estilo de comportamiento son parecidos, pero no lo mismo. La personalidad consiste en todo lo que usted es, su temperamento innato más sus experiencias de la vida. Esto incluye rasgos genéticos, necesidades, impulsos, valores, inteligencia, la forma en que lo criaron sus padres, su trasfondo educacional, la manera en que responde (con sabiduría o sin ella) a sus experiencias pasadas, trasfondo cultural, normas sociales arraigadas, creencias religiosas, gustos y cosas que no le gustan, puntos fuertes y puntos débiles. La personalidad es una compleja mezcla de todo aquello que lo hace lo que usted es.

El estilo de comportamiento es la *expresión exterior* de quién es usted, y puede cambiar de una situación a otra. Por ejemplo, es posible que no actúe en el trabajo de la misma forma que lo hace en su hogar. Su estilo de criar a sus hijos puede ser diferente de su estilo social y laboral. Como lo ha dicho Tom Ritchey, presidente de *Carlson Learning Company*: «El estilo de comportamiento no es quién es usted, sino lo que hace con quién es usted». Es importante que entendamos esta distinción, y se hará aun más clara a medida que miramos más de cerca, en los próximos capítulos, nuestros estilos de criar a los hijos.

La mentalidad del alfarero

Una de las razones por las que es tan importante aprender lo que hace que usted y sus hijos sean individuales es que quita una gran presión de sus hombros. Miremos la historia de Jaime y Susana. Cuando su hijo José era todavía un bebé, él soñaba con lo que podría llegar a ser. «Este pequeñito podría llegar a ser un campeón olímpico... o un jugador profesional de béisbol».

Susana también tenía grandes sueños: «Tal vez él gane algún día el Premio Nobel, o sea un pianista famoso... o el doctor que encuentre la cura del cáncer». Con amor y los cuidados correctos, este sorprendente niño llegaría a ser la estrella que había nacido para ser.

A medida que José crecía, las visiones de grandeza de Jaime y Susana parecían justificarse. Era un niño brillante en su clase preescolar y sobrepasaba a todos los niños de cuatro años en su clase de natación. En el jardín de infantes su cociente de inteligencia era 135. Jaime y Susana lo inscribieron en lecciones de piano y lo llevaban a jugar fútbol y béisbol. Le compraron montones de libros y toda clase de juguete educacional imaginable.

Un día, algo terrible ocurrió. Cuando estaba en tercer grado de primaria, José sacó una mala nota en aritmética. La maestra les dijo a los descorazonados padres que José no estaba trabajando al máximo de su potencial. El niño era muy inteligente, pero también muy perezoso.

Jaime y Susana estaban frenéticos. ¿Cómo era posible que su niñito no quisiera hacer lo mejor posible? No importó cuánto le rogaron, imploraron y amenazaron, José se negó a trabajar duro. Cuando llegó a los once años, el niño era despreocupado, tranquilo, tenía un promedio de notas aceptable, había dejado sus clases de piano y era el segundo peor bateador de su equipo de béisbol.

¿Cómo cree que se sintieron Jaime y Susana? ¿Qué estaban pensando?

Usted acertó; ellos se preguntaban en *qué* habían fallado.

Si cree que la forma en que sus hijos resultan es solo una función de lo que usted hace, se está colocando a sí mismo para sentirse como un fracasado.

De acuerdo con la mentalidad del alfarero, los niños nacen como una pizarra en blanco; los padres son los responsables de darle forma a su personalidad, su potencial, su carácter. Yo estoy de acuerdo con esta mentalidad hasta cierto punto. Los padres representan un papel muy importante en moldear a sus hijos, especialmente en la esfera del carácter y los valores morales. Sin embargo, de lo que mucha gente no se da cuenta es que Dios le da a cada niño un diseño único que no cambiará.

La mayoría de los expertos creen que es cierto que los padres ejercen influencia en la personalidad de sus hijos, pero que los niños nacen con sus propios rasgos innatos de temperamento. En un estudio famoso, Stella Chess y su esposo, Alexander Thomas, ambos doctores y profesores de psiquiatría de la Universidad de Nueva York, siguieron la vida de ciento treinta y tres niños desde la infancia hasta que fueron adultos. Encontraron las dos fuerzas mayores que dieron forma a sus personalidades: una fue el temperamento de cada niño, y la otra cómo sus padres respondieron a ese temperamento. En otras palabras, lo que los niños llegan a ser es un resultado de la naturaleza y la crianza.

Evelyn B. Thoman, doctora en Filosofía y Letras, investigadora del desarrollo del niño en la Universidad de Connecticut, explica el problema de esta manera:

> Las personas que nacieron entre el año 1944 y 1964, quienes típicamente tienen altas expectativas de sí mismas, tienden a ver cada imperfección, real o imaginaria, en su hijo como un signo de que han fallado. Continúan esforzándose por crear la fantasía del hijo ideal, en lugar de apreciar el hijo, tal como es, que tienen.[5]

Hace poco vi un cuadro que tenía un poco de sabiduría popular. Decía: «Los niños no son cosas que moldear, sino personas que descubrir».

El criar a los hijos en forma consecuente no significa tratar a todos sus hijos de la misma manera. ¿No es cierto que usted quiere que su cónyuge, amigos y colegas tomen en consideración sus gustos y aversiones, necesidades y deseos? Lo mismo les sucede a sus hijos. El criar a los hijos en forma consecuente significa tratar a hijos diferentes de maneras diferentes.

El resultado final es este: si trata de forzar a un niño para que se adapte a un modelo que no es el de él, corre el riesgo de enviar el mensaje de que: «No te amo por quién eres. Te amo porque tratas de llegar lo más cerca posible de quién quiero que seas». Este mensaje puede causar que un niño desee obtener la aprobación de un padre o una madre por el resto de su vida.

Una carta de amor

Hace poco, un amigo me mostró una carta que su hija le había escrito. Es la clase de carta que me gustaría que más hijos les enviaran a sus padres, el tipo que espero que mi hijo y mis hijas me escriban cuando sean mayores.

> Papá:
>
> He decidido escribirte una carta de amor. Tú eres muy especial para mí y temo dejar algunas cosas sin decir. Te respeto mucho a ti y a tu fe. Cuanto más tiempo paso cerca de personas que se dicen ser cristianas, tanto más me doy cuenta de lo extraordinario que eres. Lo digo una y otra vez, y cada vez significa más para mí, tú eres la única persona que conozco que practica lo que predica sin tener que apretar los dientes y luchar con enfado para hacerlo. Tú has descubierto el secreto del «yugo suave» y te admiro mucho por eso.
>
> Tú eres uno de mis mejores amigos. Me siento cómoda contigo y disfruto mucho de nuestro nivel de comunicación instantáneo y sentido del humor compartido. Tú eres mi favorito para dar caminatas por el bosque y recoger hojas, nueces y piedras a lo largo del camino... Disfruto mucho nuestra amistad y la atesoro en mi corazón.
>
> Eres uno de los pocos que me aceptan tal cual soy, y no tratas de convertirme en la hija ideal o una copia fiel y exacta de ti. ¡Aprecio mucho eso! Es el amor verdadero el que acepta todo en lugar de solo lo que lo hace feliz.

El hecho de que esta joven le envió a su padre una carta tan hermosa me demuestra que se siente aceptada y segura. Su padre la crió bien.

NOTAS

1 Elizabeth O'Conner, *Eighth Day of Creation* (Waco, Texas: Word Books, 1971), 18.
2 Dr. H.C. Leupold, *Exposition of the Psalms* (Grand Rapids: Baker Book House, 1969), 947.
3 Ralph Mattson y Arthur Miller, *Finding a Job You Can Love* (Nashville: Thomas Nelson, 1982), 60.
4 Ibíd., 80.
5 Evelyn B. Thoman, «How to Raise Normal Kids», *New Woman* (diciembre 1991), 53.

PARTE DOS

ENTENDIENDO

CAPÍTULO TRES

Por qué usted es quien es

Nunca olvidaré la primera vez que llevé a mi hijo Chad a pescar. Durante semanas había hecho planes para este día especial. Iba a ser mi primera oportunidad para iniciar a mi hijo en una experiencia santa de unirnos como hombres. Nos levantaríamos temprano, comeríamos un buen desayuno y partiríamos hacia el lago. Cuando el sol despuntara, nos deslizaríamos en el bote, observando la neblina elevarse desde la superficie del agua.

Le enseñaría los sagrados rituales de colocar una lombriz de plástico, tirar la línea y manejar el gusano para atraer a los peces grandes. Pescaríamos el límite admitido de róbalos. A Chad le gustaría tanto la pesca que me pediría que lo llevara de nuevo.

Bueno, la realidad tiene una forma de hacer que los sueños se hagan añicos. Durante la primera hora de nuestro tiempo de «establecer lazos que nos unieran», Chad se las arregló para:

salirse de la orilla y meterse en el barro...
enredar su línea la primera vez que la tiró...
vaciar el contenido total de la caja de aparejos...
enredar su línea en un árbol...
derramar su bebida dentro de la caja de lombrices...
y clavarme un anzuelo en el dedo.

Yo estaba, bueno, un *poco* enojado. ¿Qué le había pasado a mi día perfecto? Esto no era pescar, era un dolor de cabeza.

Entonces recibí lo que llamo «el golpe divino en la cabeza». Me di cuenta de que estaba tan enfocado en completar la tarea, que me había olvidado de la razón de nuestra salida: pasar tiempo con mi hijo. «Tal vez la pesca no es la tarea», sentí que me decía el Señor. «Tal vez tu hijo es la tarea».

El primer paso de criar a los hijos por diseño

Mientras que Dios tenía una lección para mí aquel día en cuanto a mis prioridades, lo que no cambió fue mi orientación básica. Soy el tipo de persona que le encanta realizar tareas y completar proyectos.

Me gusta dedicarme a lo que estoy haciendo. Si vamos a pescar, entonces, pesquemos. Si vamos a comenzar un nuevo ministerio en la iglesia, entonces comencémoslo y hagámoslo funcionar, entonces se lo entregamos a otra persona para que lo continúe y seguimos adelante. Si vamos a cortar el césped, cortémoslo y terminemos de una vez. No tomemos más tiempo del necesario hablando con los vecinos, completemos la tarea.

Cuando llevé a Chad a pescar, la tarea era simple: obtener pescados. Cada vez que algo pasaba que obstaculizaba esa meta o nos distraía de la tarea escogida, me sentía más tenso y frustrado.

Mi punto es que es bueno que yo entienda quién soy y cómo me comporto. Aunque quién soy es tan único como la huella de un dedo pulgar, muchos de mis comportamientos son consecuentes y previsibles. Esto afecta todo lo que hago, incluyendo la crianza de mis hijos. *Así que el primer paso de criar a los hijos por diseño es entender el estilo de comportamiento de ambos, usted y su hijo.*

En el capítulo anterior le presenté el concepto de «estilos de comportamiento». Tanto usted como su hijo manifiestan patrones consecuentes de comportamiento, maneras diferentes de ver las cosas y de hacerlas. Entonces, ¿cómo pueden aprender cuáles son sus estilos?

Recordará que ilustré la forma en que estamos hechos interiormente como un tapiz oriental con hilos verticales y horizontales de lana, unidos por nudos. La expresión exterior de quiénes somos, nuestro estilo de comportamiento, de la misma forma está basado en dos hilos principales: *paso* y *prioridad.*

Lo primero que debemos hacer para entender el estilo de comportamiento es mirar a cada uno de esos hilos. Como veremos, cuando se tejen juntos, esos dos hilos producen cuatro designios o patrones determinados.

Paso rápido, paso lento

Al primer hilo, que es vertical, lo llamo *paso.* Por paso quiero decir la velocidad a la cual una persona se mueve en la vida. Cada uno de nosotros corre de acuerdo con un motor interior: algunos de estos motores marchan a alta velocidad, mientras que otros operan a una velocidad más baja. Un paso no es mejor que el otro, simplemente son diferentes.

Las personas que marchan rápido se caracterizan por el verbo *IR*, se mantienen en movimiento. Son dinámicas y crean una primera impresión muy buena. Son extrovertidas en el sentido de que enfocan sus acciones en el ambiente exterior, ya sea en personas o circunstancias. Tienen mucha energía y hacen casi todas las cosas con rapidez. No es de sorprender que con facilidad se impacienten con el extremo opuesto del espectro, que son las personas de paso lento.

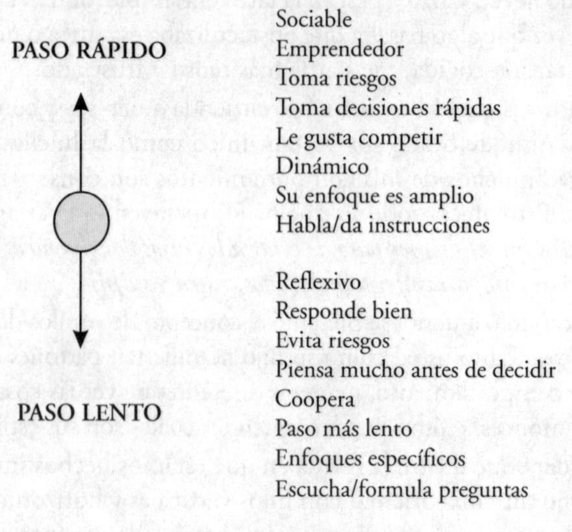

(El diagrama anterior se derivó de *The Family Discovery Profile Manual.*[1])

Las personas de paso rápido toman iniciativas socialmente. Se involucran en toda clase de organizaciones, clubes, proyectos, grupos caritativos, organizaciones de padres y maestros y comités de la iglesia. A menudo desempeñan puestos de liderazgo. Les gusta estar a cargo de cosas, no porque les guste el trabajo, sino porque son conscientes de su significado personal y les gusta indicarles a los demás lo que deben hacer. Y muy a menudo sus horarios están demasiado ocupados porque les gusta hacer malabarismo con varias pelotas a la vez.

Tienden a tomar decisiones rápidas y a tomar riesgos. Son personas confiadas que expresan sus opiniones sin titubear y formulan declaraciones enfáticas. Quieren acción y les gusta la competencia. En mi biblioteca tengo dos libros que sin duda fueron escritos por personas orientadas al paso rápido, sus títulos dicen más o menos lo siguiente: *Cuando estoy descansando, me siento culpable*, y el otro dice: *Lidera, sigue... o sal del camino.*

Las personas de paso lento se caracterizan por la frase: «Toma el tiempo que necesites... ¡no tan rápido!» Su lema es: «Si vale la pena hacer un trabajo, vale la pena hacerlo bien». Estas personas tienden a ser más calladas, tímidas, reservadas e introvertidas.

De niños y de adultos, tienden a ser más conscientes en cuanto a la seguridad. Se mueven a un paso más lento, más medido; por lo tanto, son más lentos para tomar decisiones. Son cautelosos y evitan las situaciones riesgosas. No les gustan los cambios que no se han planeado ni las sorpresas. Tienden a ser más introvertidos, en el sentido de que sus acciones se enfocan en preservar el orden y la seguridad de sus mundos personales.

A diferencia de la gente de paso rápido, las personas de paso lento se comunican preguntando más «¿Por qué?» «¿Cómo?», y «¿Qué quiere decir con...?» Se guardan sus opiniones y formulan declaraciones tentativas. Escuchan más de lo que hablan.

Encuesta personal: Paso

He aquí algunas declaraciones para ayudarle a pensar detenidamente si tiende a ser una persona de paso rápido o de paso lento. En cada par de declaraciones, ponga un círculo alrededor del número que siente que describe mejor cómo es usted.

1. Por lo general tomo decisiones con rapidez. O...
2. Me gusta tomarme mi tiempo para decidir.

3. Mi tendencia es hablar con rapidez y formular declaraciones enfáticas. O...
4. Tiendo a hablar más lentamente y con declaraciones menos enfáticas.

5. Encuentro muy difícil sentarme y no hacer nada. O...
6. Me gustan los momentos de quietud, sin hacer nada.

7. Considero que tengo un estilo de vida activo. O...
8. Considero que tengo un estilo de vida poco activo.

9. Tiendo a sentir más energía cuando hago malabarismo con varias pelotas a la vez. O...
10. Prefiero hacer una cosa a la vez.

11. Me impaciento con facilidad con las personas de paso lento. O...
12. No me gusta que me apuren.

13. Soy rápido para decirles a las personas lo que pienso o siento. O...
14. Mantengo más en privado lo que pienso o siento.

15. Me gusta tomar riesgos y probar algo nuevo y diferente. O...
16. No me gusta tomar riesgos. Me gusta la forma familiar de hacer las cosas.

17. Tengo la tendencia de presentarme a las personas que no conozco en reuniones sociales. O...
18. Soy más propenso a esperar que me presenten en las reuniones sociales.

19. Cuando otras personas hablan, tengo dificultad en escuchar. O...
20. Cuando otras personas hablan, escucho con mucho cuidado.

21. Me gusta estar a cargo de las cosas. O...
22. Prefiero seguir direcciones y apoyar.

23. Tiendo a actuar con más rapidez y espontaneidad. O...
24. Tiendo a reaccionar con más lentitud y deliberación.

Ahora determine si marcó más declaraciones pares o impares. Si marcó más números impares, su tendencia es ser de paso rápido. Los números pares describen a una persona de paso más lento. Anote sus totales en las siguientes líneas:

__________ (números impares, paso rápido)
__________ (números pares, paso lento)

Muchos padres se sienten un poco confundidos cuando hablo en cuanto al paso rápido y al paso lento, porque encuentran que el criar a los hijos es una actividad de paso rápido, especialmente cuando los hijos pasan de la edad de cuando aprenden a caminar. Las madres y los padres llevan con prontitud a sus hijos a los partidos de fútbol, les ayudan con las tareas escolares, los llevan a las clases de piano y a las tiendas de comestibles. Y luego corren a sus propias actividades y responsabilidades. No parece haber suficientes horas en un día para hacer todas las cosas.

No compare el ritmo o paso rápido de criar a los hijos con la velocidad de la que hablo aquí; es decir, la velocidad de su motor interior. Una manera de entender esta diferencia es contestando a las siguientes preguntas: Cuando se ve obligado a operar a un paso rápido, ¿se siente cómodo o apresurado? ¿Se siente con más energía o como que lo empujan? Cuando las personas de paso lento son forzadas a realizar actividades de paso rápido (incluyendo el criar a los hijos), a menudo al final del día se sienten agotadas emocional y físicamente. Las personas de paso rápido brillan cuando hay muchas actividades y se sienten presionadas cuando son forzadas a ir más despacio.

Personas orientadas a las tareas y personas orientadas a las personas

El segundo hilo en nuestro tapiz es horizontal, y lo llamo *prioridad*. La prioridad es nuestro *enfoque*, la motivación detrás de sus movimientos. Si su paso es su *motor* interior, la prioridad es su *compás* interior, el cual le da dirección.

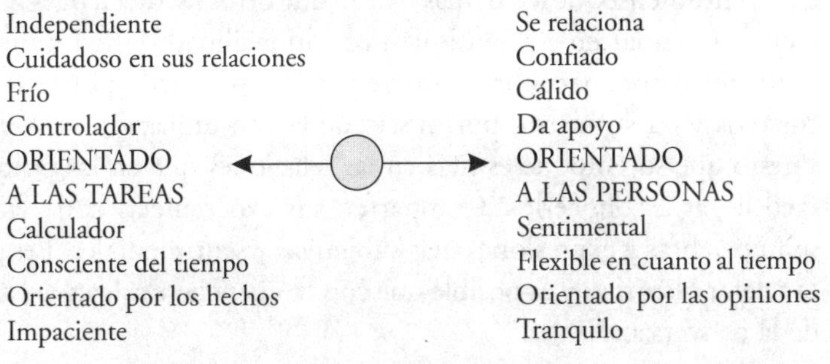

(El diagrama anterior se derivó de *The Family Discovery Profile Manual.*[2])

Las acciones diarias de algunos individuos son orientadas hacia las tareas, mientras que otras son orientadas a las personas. De nuevo, no estamos hablando de que unas son buenas y las otras son malas, sino de que son diferentes. Todos los tipos son necesarios en el tapiz de la sociedad.

Las personas *orientadas hacia las tareas* se enfocan en «hacer las cosas». Planean su trabajo y siguen su plan. Siguen su propio horario. A menudo prefieren trabajar solas, de esa forma las cosas se hacen de la manera que ellas quieren.

Basan sus decisiones en hechos y datos, en lugar de opiniones y sentimientos. Tienden a hablar más del trabajo y de adquirir posesiones, que de personas. Cuando hablan sobre las personas, a menudo buscan resolverles los problemas en lugar de tratar de entenderlas.

También tienden a ser más reservadas y distantes en sus relaciones. Les gusta mantener la distancia, y es posible que en un primer encuentro sean percibidas como frías y no cálidas. Tienen un sentido fuerte de espacio personal y territorio, así que no se expresan con el toque, y no les gusta que les toquen. Tienden a ser vistas como personas correctas y formales, que ocultan sus sentimientos personales. No les resulta fácil la conversación casual.

El enfoque de los individuos orientados hacia las personas es «estar *con* la gente». Son vistos como tranquilos, cálidos y sensibles. Reciben nueva energía cuando comparten y se preocupan por las personas. Tienden a ser sencillos y amables y no se preocupan si las cosas están fuera de su lugar o si no se hacen a tiempo. Son sensibles a los sentimientos de los demás o de lo que otros les dicen o les hacen a ellos. Comparten sus sentimientos con facilidad. Usted nunca se tiene que preocupar sobre cómo se sienten, porque lo puede ver en sus ojos y en su rostro, por medio de la comunicación no verbal. Puesto que su enfoque es más en las relaciones que en las tareas es fácil llegar a conocerlos. Comparten sus experiencias de la vida y usan palabras y expresiones más subjetivas y sentimentales. Les gusta relatar historias, y es posible que con frecuencia se salgan del tema de la conversación.

Hace poco, mi esposa Karen y yo visitamos a una pareja en su nueva casa. La casa tenía menos de tres meses de construida, pero ya tenía un aspecto de que allí se vivía. Cuando entramos, vinos juguetes esparcidos por todo el piso y las cosas estaba fuera de su lugar.

Nuestros amigos fueron muy amables y cálidos y nos hicieron sentir como en casa. Pasamos un tiempo muy agradable. Nos pidieron disculpas por la forma en que su casa se veía; es más, ni siquiera veían que su casa estaba desordenada. ¿Por qué? Porque para ellos las personas tenían una prioridad más alta que recoger juguetes o poner las cosas en su lugar.

También pienso en nuestros buenos amigos, Doug y Patty. Cuando asisten a uno de los partidos de fútbol de su hijo, usted ve como su orientación emerge. Doug es más orientado hacia las tareas, y él va allí a ver el partido. Patty va para estar con la gente. Ella camina de un lado a otro por las gradas para hablar con las personas, poniéndose al día en cuanto a sus vidas. Y muy pocas veces pierde lo que ocurre en el partido. Su antena está diseñada para captar tanto lo que hace su hijo como lo que hacen *los demás.*

Encuesta personal: Prioridad

A continuación presentamos algunas declaraciones para que medite en cuanto a su enfoque. De nuevo, en cada par de declaraciones, ponga un círculo alrededor del número que siente que describe mejor cómo es usted.

1. Enfoco la vida de una manera seria. O...
2. Enfoco la vida de una manera juguetona.

3. Tiendo a mantener mis sentimientos para mí. O...
4. Tiendo a compartir mis sentimientos con otras personas.

5. Me gusta hablar y escuchar sobre hechos y datos. O...
6. Me gusta relatar y escuchar historias sobre personas.

7. Tiendo a tomar decisiones basado en los hechos. O...
8. Tiendo a tomar decisiones basado en los sentimientos, las experiencias o las relaciones.

9. Tiendo a estar menos interesado en la conversión casual. O...
10. Tiendo a estar más interesado en la conversación casual.

11. Mantengo control sobre la gente que conozco y con quienes me involucro. O...
12. Estoy dispuesto a establecer nuevas relaciones y a llegar a conocer mejor a las personas.

13. Es posible que la gente me perciba como un poco difícil de llegar a conocer. O...
14. La gente tiende a percibirme como fácil de llegar a conocer.

15. Prefiero trabajar en forma independiente y solo. O...
16. Prefiero trabajar con otras personas.

17. Hablo sobre asuntos de actualidad y las tareas que tengo que realizar. O...
18. Me gusta hablar sobre personas, historias y anécdotas.

19. Pienso sobre mí como una persona muy formal. O...
20. Pienso sobre mí como una persona sin pompa.

21. La gente me ve como un pensador. O...
22. La gente me ve como alguien que es sentimental.

23. Me siento mejor cuando estoy logrando algo. O...
24. Me siento mejor cuando soy aceptado por los demás.

Si marcó más declaraciones impares, su tendencia es ser orientado hacia las tareas. Si marcó más números pares, es más orientado hacia las personas. Anote sus totales en las siguientes líneas:

__________ (números impares, orientado hacia las tareas)

__________ (números pares, orientado hacia las personas)

Antes de continuar adelante, debo destacar que las frases descriptivas que he usado a través de esta exposición sobre el paso y la prioridad son *tendencias*. Por lo general, la gente cae dentro de estas categorías, pero no siempre. Por ejemplo, yo *tiendo* a tomar decisiones rápidas, pero no *siempre* tomo decisiones rápidas. No soy esclavo de esta característica, tengo una elección, pero por lo general es cierto conmigo.

Esto es lo mismo para toda la terminología descriptiva que uso en este libro, ya sea que esté hablando en cuanto a la crianza de los hijos o a sus estilos de comportamiento. La mayor parte de nosotros tenemos tendencias diferentes y varían en intensidad y frecuencia. Así que no sienta que está atado a una manera de ser o de comportarse.

Conflictos típicos

Si piensa en esto, es probable que vea que estas dos esferas, el paso y la velocidad, producen muchos de los conflictos que enfrenta en su familia. En nuestro hogar, por ejemplo, Karen y yo tendemos a ser más orientados a las tareas. Siempre y cuando nuestras tareas se complementen, todo está bien. Sin embargo, si mi horario no coincide con el de ella (o viceversa), ¡las chispas vuelan!

Aparentemente, muchas otras parejas experimentan el mismo tipo de conflicto. Una de mis revistas favoritas sobre asuntos del matrimonio se llama *Marriage Partnership*. Cada ejemplar contiene una sección titulada «Solucione sus conflictos», en la cual las parejas comparten sus experiencias y la forma en que han manejado los problemas en su matrimonio. Mientras miraba a algunos ejemplares pasados, me resultó divertido ver cuán a menudo esos problemas se centraban en el paso y la prioridad:

Ella dijo: «Yo no era bien organizada, y eso frustraba a Jaime hasta el límite» *(orientada hacia las personas).*

Él dijo: «Alina tenía mucho tiempo para las personas, pero ningún tiempo para encargarse de los detalles» *(orientado hacia las tareas).*

Ella dijo: «Espero hasta el último minuto. La presión me hace ser más creativa» *(paso rápido).*

Él dijo: «Necesito tiempo para hacer planes, para estar listo, para saber lo que voy a hacer» *(paso lento).*

Ella dijo: «Yo quería que él hiciera un esfuerzo para llegar a conocer a mis amigos» *(orientada hacia las personas).*

Él dijo: «Yo no era una persona habladora. Me sentí como un marginado» *(orientado hacia las tareas).*

Ella dijo: «Prefiero seguir adelante y tomar algunos riesgos» *(paso rápido).*

Él dijo: «Prefiero hacer planes anticipados y enfrentar las cosas con cuidado» *(paso lento).*

Ella dijo: «Si a él realmente le importara, sería sensible a mis sentimientos» *(orientada hacia las personas).*

Él dijo: «Cuando siento que hay tensión, me quedo callado» *(orientado hacia las tareas).*

Estos conflictos originados por el paso y la prioridad también ocurrirán entre usted y sus hijos. Dependiendo de su «tendencia», es posible que se haya encontrado alguna vez diciéndoles a sus hijos una o más de las siguientes declaraciones:

«Vamos, apúrate. ¿Por qué tienes que ser tan lento?»

«Tomas demasiado tiempo para decidirte». O...

«Eh, más despacio... ¿no puedes estar sentado quieto durante cinco minutos?»

«Debes recordar que las personas son más importantes que las cosas».

«Debes terminar tu trabajo antes de salir a jugar con tus amigos».

En algunos círculos, las condiciones de la cultura pueden llevar a la gente a creer que las mujeres tienden a ser (o deberían ser) de paso lento y orientadas hacia las personas, y que los hombres tienden a ser (o deberían ser) de paso rápido y orientados hacia las tareas. Sin embargo, este no es el caso. Los hombres y las mujeres pueden mostrar cualquier tipo de combinación paso/prioridad. *No hay patrones específicos de género*, solo *estereotipos* que hacen que las personas que no caen en ellos se pregunten si tienen algo que está mal.

Tomando diferentes caminos

En realidad, usted encontrará que los conflictos producidos por el paso y la prioridad se manifiestan en casi todo tipo de relaciones entre las personas. Es más, el mejor ejemplo se encuentra en la

Biblia, en Hechos 15:36-41. Aquí hay un conflicto tan serio que causó que dos amigos, Pablo y Bernabé tomaran diferentes caminos.

Juan Marcos los había abandonado en un viaje misionero anterior. Bernabé le quería dar a Juan Marcos otra oportunidad, pero Pablo, en esencia dijo: «Absolutamente no. El trabajo es demasiado importante para llevar a alguien que tiene un expediente malo».

¿Cuál de los dos tenía razón? Si usted es orientado hacia las tareas, posiblemente diga que Pablo. Si es orientado hacia las personas, tomará el lado de Bernabé, cuyo nombre significa «hijo de consolación». Pero esta no es una función de malo o bueno. Las dos perspectivas son necesarias.

Uno necesitaba darle toda su atención al trabajo, y otro necesitaba darle atención a restaurar a una persona herida. Así que los dos hombres tomaron diferentes caminos, Pablo partió con Silas, y Bernabé tomó a Juan Marcos bajo sus alas. Cada uno tenía diferentes prioridades, y la obra de Dios debía realizarse. Pablo continuó teniendo un ministerio fructífero, plantando iglesias y haciendo avanzar la fe cristiana, y más tarde leemos en la Biblia que Juan Marcos fue restaurado.

TEJIENDO LOS HILOS JUNTOS

Una vez que entiende estos dos hilos, «paso-rápido/paso-lento», y «orientado hacia las tareas/orientado hacia las personas», lo siguiente es ver cómo se combinan para formar tipos de comportamiento diferentes.

Fíjese que cuando coloca los dos hilos juntos en el mismo gráfico, forma cuatro cuadrantes distintos, cada uno representando un tipo de comportamiento diferente. Esto se llama el modelo «DISC» para entender el comportamiento humano.

Permítame explicarle esto:

Las personas (padres e hijos) que son rápidas y orientadas hacia las tareas, caen en la categoría «**D**», o **dominantes/determinados.** Por lo general son autoritarias, decisivas y a veces exigentes. Les gusta tener el control y se sienten motivadas a vencer cualquier oposición u obstáculo que se interpone entre ellas y su meta.

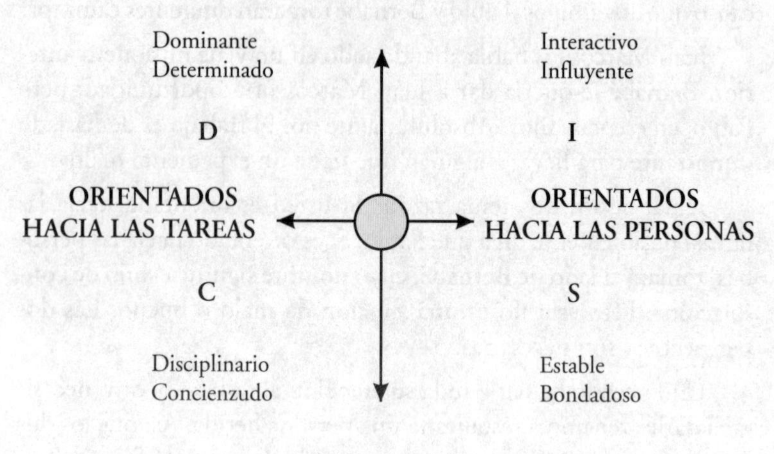

Los individuos de paso/rápido y orientados hacia las personas por lo general tienen el estilo «I», es decir, son **influyentes/interactivos.** También quieren salirse con la suya, pero lo hacen en forma diferente de los individuos «D». Se hacen cargo, no por medio de la acción directa, sino persuadiendo a otros para que aprueben sus ideas. Son personas cálidas y entusiastas y los demás quieren estar con ellas.

Los que son de paso lento y orientados hacia las personas caen en la categoría «S», es decir, **estables/comprensivos.** Son tranquilos, se puede depender de ellos y prefieren que las cosas queden como están. Por lo general se adaptan a lo que pasa a su alrededor más bien que liderar. Cooperan con los demás y se sienten más cómodos en situaciones favorables y que ofrecen apoyo.

Finalmente, los individuos de paso lento y orientados hacia las tareas pueden describirse como «C» o **disciplinarios/concienzudos.** Les gusta que las cosas se hagan de la manera «correcta», «apropiada», tal como ellos la ven. Tienen mentes analíticas, a menudo son formales y reservados, y son muy bien organizados.

Es interesante notar que diferentes personas a través de la historia han diseñado sistemas similares para explicar las variaciones que ven en la gente. Es más, muchos han usado cuatro categorías. Hipócrates, el padre de la medicina moderna, creía que la personalidad estaba formada por cuatro tipos de fluidos del cuerpo. Él adoptó cuatro temperamentos básicos: colérico (bilis negra), sanguíneo (sangre), flemático (flema), y melancólico (bilis amarilla). Autores como Tim LaHaye han aplicado un sistema similar en muchos libros diferentes.

El modelo DISC (dominante, influyente, concienzudo, estable) traza sus raíces al trabajo del doctor William Moulton Marston. La mayor parte del adiestramiento en el modelo DISC ha venido por medio de los perfiles publicados por *Carlson Learning Company*. Su sistema[3] DISC está basado en la teoría de Marston e investigaciones continuas realizadas por *Carlson Learning Company*. El *Perfomax Personal Profile System* de dicha compañía se ha usado internacionalmente durante los últimos treinta años en las corporaciones y los negocios mundiales como ayuda para trabajar en equipo, administración, liderazgo, mejorar las comunicaciones y resolver conflictos.

Muchos libros usan este sistema para ayudar a aconsejar a las familias. Por ejemplo, Gary Smalley y John Trent han escrito un libro llamado «Las dos caras del amor», usando animales (león, nutria, perro cazador, castor) para explicar los estilos de DISC. Otro libro de estos autores que recomiendo altamente es *The Treasure Tree,* un libro de niños bellamente ilustrado que explica los puntos fuertes de cada estilo de comportamiento para que sus hijos puedan entender cómo la gente es igual y cómo es diferente.

Un testimonio personal

Sin contar la Palabra de Dios, las perspectivas que he obtenido a través del modelo DISC es la información más provechosa que poseo. Me ha ayudado a entender dónde quedo mejor en el ministerio, ha ejercido influencia en mi matrimonio (voy a hablar sobre esto más adelante), y me está ayudando a aplicar Proverbios 22:6 de forma práctica y específica. (El resultado es este libro.)

Alguna gente no le tiene confianza a modelos como el DISC porque creen que está mal poner «rótulos» a alguien. Entiendo esta manera de pensar. Sin embargo, mi experiencia es que entender su estilo de comportamiento lo libera para ser quien Dios lo ha creado para que sea.

Además, todavía no he conocido a nadie que no le «ponga rótulos» a la gente. Cuando usted conoce a alguien, por ejemplo, hace una evaluación rápida de esa persona. En el espacio de unos pocos segundos, juzga su apariencia, su personalidad, su inteligencia y cómo esa persona lo hace sentir. Si es maduro, ajustará su evaluación a medida que llega a conocer a la persona, pero las posibilidades son que su impresión inicial va a ser difícil de cambiar. Así es la naturaleza humana.

Creo que un problema mayor es la gran cantidad de personas que no se gustan a sí mismas porque les falta la habilidad de vivir de acuerdo con las expectativas de otros en cuanto a cómo se deben comportar. Algunas veces los niños desarrollan una imagen pobre de sí mismos porque sienten que sus padres quieren que se comporten de manera diferente. Un trabajador talentoso se siente frustrado porque no puede complacer a su jefe quien no entiende su comportamiento y está más preocupado por la actuación de la persona que en cómo esta ayuda a la compañía.

Durante muchos años me sentí encerrado por las expectativas de otras personas y el ideal particular según su denominación de cómo se suponía que un pastor se viera y actuara. En mis primeras iglesias, parecía que la gente quería que mantuviera todo igual, que permaneciera dentro de las rutinas. De manera inconsciente «guardé» partes importantes de quién soy para encajar en ese molde. Pero no era feliz.

Una vez que entendí mi estilo de comportamiento, tuve la confianza para decidir que me iba a comportar de la forma en que Dios me había diseñado, y no de acuerdo con las expectativas de otros. Me di cuenta de que necesitaba un ambiente de paso rápido, que me diera la oportunidad de experimentar y probar cosas nuevas. Mi perfil DISC me ayuda a saber quién soy y cómo explicar quién soy a otros. Como mi apellido «Boyd», me pone en una *familia* que no tengo reparos para asociarme a ella. Me ayuda a *definirme*, no a *confinarme*.

Soy libre para actuar de la forma en que escojo hacerlo. Y algunas situaciones *requieren* que me salga de la zona de comodidad y use patrones de conducta que satisfacen mejor las necesidades de otros, o las necesidades del momento, que mi estilo «natural». Pero todavía estoy libre para ser yo mismo.

Trazando su puntaje

En los capítulos siguientes, le daré más información en cuanto a los estilos de comportamiento D, I, S, y C, y le ayudaré a determinar su estilo y el estilo de su hijo o hija. Por ahora, sin embargo, puede obtener una idea general usando su puntaje de los ejercicios de paso y prioridad que completó antes en este capítulo.

En el diagrama, marque con una «x» su puntaje *más alto* del ejercicio de paso y haga lo mismo con el puntaje *más alto* de prioridad. Luego trace una línea vertical a través de la «x» que vaya de rápido a lento. Trace una línea horizontal a través de la «x» que vaya desde tarea a gente. El punto donde esas dos líneas se cruzan le dará una indicación de en qué cuadrante y estilo principal usted tiende a ser.

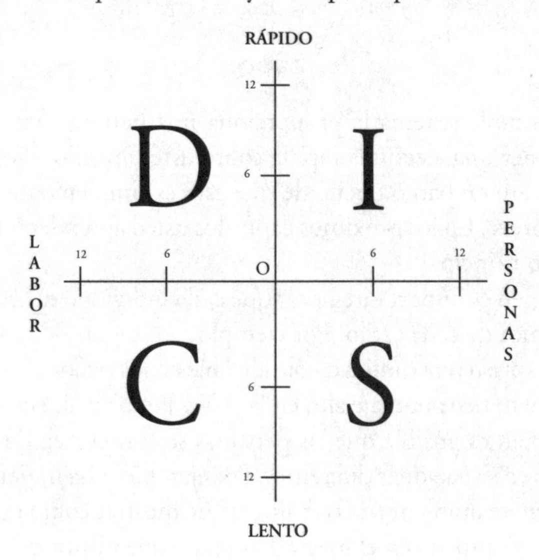

Por ejemplo, si su puntaje total fue: rápido = 2, despacio = 10, usted colocaría una «x» en el extremo que dice Despacio *solamente* en el 10. Si su puntaje de prioridad fue: tarea 3, personas 9, colocaría una «x» en el lado que dice Persona *solamente* en el 9. Al extender una línea horizontal y otra vertical desde esos dos puntos, sus líneas de cruzarían en el cuadrante «S». Si tiene un puntaje de 6, ya sea tanto en el paso o la prioridad, significa que expresa cantidades iguales de esos dos estilos de comportamiento.

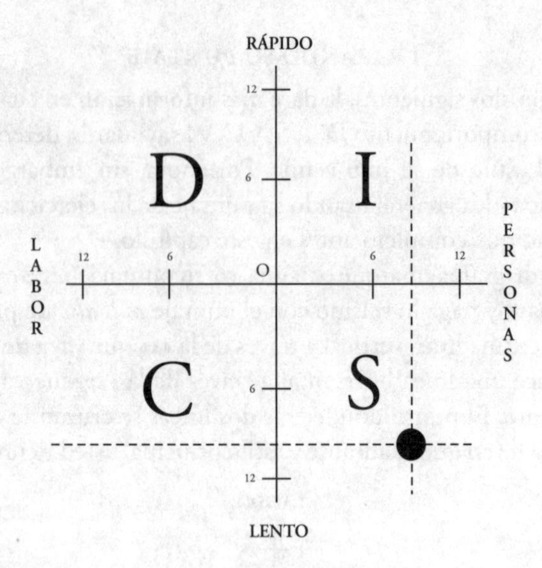

Este simple sistema le proporciona una herramienta excelente para obtener una «lectura» rápida sobre usted mismo y sobre otras personas. Sin embargo, recuerde que esta es simplemente una descripción breve. En los próximos capítulos usted aprenderá más sobre cada estilo principal.

También es importante notar que cada individuo es una combinación única de cada estilo. Por ejemplo, yo soy una «D» alta, pero también expreso una cantidad considerable en los estilos «I» y «C». Mi esposa Karen, tiene puntaje alto en la «C» y también alto en la «S».

También es posible que las personas se comporten de maneras diferentes en situaciones diferentes. Por ejemplo, una mujer con una «D» alta en un ambiente de trabajo, puede mostrar como madre más comportamiento «I» en el hogar. Un padre que utiliza más una «C» alta en su estilo de criar a sus hijos, puede expresar más comportamiento «S» en el trabajo.

Por lo tanto, recomiendo que obtenga uno o más ejemplares de la prueba *Carlson Learning Company Profiles*, para una comprensión más exacta y detallada de su estilo de comportamiento.

Enfoquémonos en la crianza de los hijos

A medida que lea más información en cuanto a los estilos de comportamiento DISC en los próximos cuatro capítulos, descubrirá aun más en cuanto a su propio estilo de comportamiento y el de sus hijos. Mucho de lo que se lee hoy en día en cuanto a la crianza de los hijos se enfoca en cómo lograr que ellos hagan las cosas de otra manera y con más responsabilidad. Es cierto que los niños deben aprender a comportarse correctamente. Necesitan crecer y llegar a ser adultos responsables.

Sin embargo, creo que cuanto más usted se entienda a sí mismo y a su hijo, tanto mejor podrá adaptar la manera en que se relaciona a él. Y eso hará que tenga más éxito para ayudarlo a llegar a ser la persona que Dios quiere que sea.

NOTAS

1 Charles F. Boyd, *The Family Discovery Profile Manual* (Minneapolis: Carlson Learning Company), 8.

2 Ibíd., 9.

3 DISC es la marca registrada de Carlson Learning Company.

CAPÍTULO CUATRO

El estilo «D»

PADRES DOMINANTES, HIJOS DETERMINADOS

¿Puede imaginarse el comportamiento del apóstol Pablo de niño? Me lo puedo imaginar a los seis años, demandando salirse con la suya, incapaz de aceptar un «no» como respuesta, cansando a sus padres con sus constantes demandas y deseo de estar en control. Es probable que los padres se hicieran eco de los lamentos que he escuchado como el siguiente: «Sabemos que estas cualidades le pueden ser útiles en el futuro, pero ahora nos está volviendo locos».

Pablo es un buen ejemplo de lo que presenté como estilo de comportamiento dominante/determinado. De adulto, Pablo mostró mucho del comportamiento «D». Antes de ser creyente, era dogmático, decisivo, determinado y demandaba. Era un hacedor, un hombre con una misión, y esa misión era borrar el cristianismo del mapa.

Después de su conversión, el temperamento de Pablo no cambió, pero Dios le dio una nueva misión. Ahora estaba dedicado a hablarle a la gente de Jesucristo. Durante los próximos años se convirtió en uno de los más sobresalientes y dinámicos líderes de la nueva iglesia.

Encuentro divertido leer lo que hizo Dios para atraer la atención de Pablo y dar un giro tan dramático a su vida. Dios lo confrontó directamente en el camino a Damasco, haciéndolo caer de rodillas. Algunas veces esa es la única manera de lograr que una «D» escuche.

Dios le habló a Pablo sin rodeos. Le dijo que sería un hombre importante que estaría frente a reyes y que sería usado para que las personas se volvieran de la oscuridad a la luz; exactamente lo que una «D» quiere escuchar.

Dios también le dijo que sufriría mucho en su ministerio. Los individuos de «D» alta encuentran eso vigorizador porque se lucen cuando hay riesgos y desafíos. Y a través de su ministerio, eso es precisamente lo que hizo Pablo. Perseveró en todas las circunstancias desfavorables, venciendo todos los obstáculos para predicar el evangelio.

El programa de adiestramiento divino de Pablo incluyó varias veces estar preso, y una «D» desprecia la inactividad. Me puedo imaginar las luchas interiores que experimentó antes de poder escribir en Filipenses 4:11: «He aprendido a estar satisfecho en cualquier situación en que me encuentre».

Allí, sentado en una celda fría y oscura, Pablo tuvo que creer que Dios cumpliría la promesa que le había hecho de una manera significativa, aun cuando todo lo que podía hacer ahora era escribir cartas a las iglesias. Hoy, por supuesto, conocemos esas cartas como las Epístolas de Pablo, palabras eternas e inspiradas por el Espíritu Santo que proveen guía y aliento a todo creyente.

De la misma forma que lo hizo con Pablo, nuestro Padre celestial trata con nosotros de acuerdo con la manera en que nos ha diseñado. No cambia nuestras inclinaciones. En cambio, Él las quiere usar para su gloria. Dios arregla un programa personalizado de adiestramiento para nosotros, planeado divinamente para complementar nuestros diseños.

En el capítulo anterior presenté los cuatro estilos primarios de comportamiento. Para ayudarle a discernir su estilo primario y el de sus hijos, voy a examinar cada uno de los cuatro más detalladamente, comenzando en este capítulo con el estilo «D» que es el dominante/determinado. Voy a presentar ejemplos específicos de cómo los estilos de comportamiento se manifiestan en los padres y en los hijos, y le daré algunas indicaciones sobre cómo trabajar con sus hijos según el estilo que demuestran.

Siete características prominentes del estilo dominante/determinado

Las personas que tienen puntaje alto en la «D», por lo general, demuestran muchas de las siguientes cualidades. Si quiere más información o si cree que este es su estilo primario, fíjese en la sección titulada: «¿Es usted una "D" alta?» al final de este capítulo.

- Estos individuos son muy seguros de sí mismos. Creen en sí mismos y en sus habilidades. Son hacedores y pensadores independientes, y pocas veces requieren apoyo o consejo. Toman decisiones con rapidez y facilidad. Pueden cuidarse a sí mismos.

- Son valientes: Vivir es arriesgarse. Les gusta tomar riesgos y buscan la aventura. Son fuertes físicamente y se enfrentarán con cualquier persona que trata de sacarles ventaja.
- Orientados hacia los resultados. Los «D» altas son ambiciosos y orientados hacia los resultados. Toman un enfoque práctico y pragmático para lograr sus objetivos. Hacen lo que es necesario para realizar la tarea. Tienden a enojarse con facilidad y se vuelven impacientes cuando sus metas son obstaculizadas y los resultados potenciales se ponen en peligro.
- Son dominantes: Se hacen cargo de las situaciones con agresividad y les gusta dar órdenes. Su enfoque en la vida es: «Yo dirijo, tú sigues», «O haces lo que digo, o te largas». Esperan que todos entiendan que están a cargo y que su autoridad debería ser respetada.
- Son competitivos: Hacen valer sus derechos en forma física y, a menudo, participan en los deportes. Para las «D» altas, todo (trabajo, diversión y relaciones) se ve como ganar o perder. Si no son desafiados se aburren. No se desaniman fácilmente y rehúsan rendirse o abandonar.
- Son agentes de cambio: Porque tienden a tomar decisiones con rapidez, con frecuencia instigan a nuevas reglas o procedimientos y a menudo lo hacen sin consultar con los afectados por los cambios.
- Son directos, francos: Se comunican directamente y con claridad van al grano. Otros los pueden ver como tajantes, sin tacto, duros o insensibles. También prefieren la comunicación sin rodeos. Quieren oír el resultado final y no una letanía de explicaciones detalladas.

El padre dominante

Como madre, Julia demuestra el mismo impulso y entusiasmo que antes demostraba en su trabajo de gerente de una oficina. Es organizada, decidida, y tiene mucha energía. Espera criar hijos que tengan éxito y que a su tiempo lleguen también a ser líderes.

Ella ha establecido reglas de comportamiento estrictas en su hogar y espera que sus hijos las obedezcan. Si no lo hacen, reciben disciplina instantánea. No le gusta explicar las cosas; espera que sus hijos hagan lo que ella dice, que cumplan su palabra y que respeten los plazos en que tienen que hacer las cosas.

He aquí como Julia se describe a sí misma: «Como madre, sé que algunas veces puedo ser demasiado dura, pero creo que soy justa. El problema es que hoy en día los hijos se salen con las suyas con demasiada frecuencia. Creo que ellos deberían llevar su propia parte de la carga del hogar. Cuando no lo hacen, inmediatamente rectifico la situación. Espero que mis hijos me obedezcan, y lo tomo con mucha seriedad si no lo hacen.

«Amo a mis hijos y creo que al esperar que sean responsables y que trabajen duro, crecerán sabiendo que los amo».

Los padres y las madres dominantes les proveen a sus hijos un ejemplo fuerte y competente. Ellos se ponen metas altas para sí mismos y pueden empujarse para cumplirlas. Los hijos saben que pueden contar con los padres «D» para liderazgo y protección. A menudo se sienten orgullosos de los logros y éxitos de sus padres.

Los padres y las madres «D» son responsables, competentes y tienen mucha energía. Son buenos para completar tareas y en cuanto a dirigir a sus hijos para que los ayuden. Cuando las cosas no salen como se había previsto, continúan trabajando para lograr sus metas.

El conflicto les provee energía. Les encanta un buen argumento porque es algo que pueden superar y ganar.

Cómo Dios presenta el estilo «D»

Nuestro Padre celestial presenta los cuatro estilos de criar a los hijos según el modelo DISC que expongo en este libro. Vemos el estilo de paternidad dominante en el Salmo 32:8: «Yo te instruiré, yo te mostraré el camino que debes seguir; yo te daré consejos y velaré por ti».

Dios les da a sus hijos direcciones específicas que deben seguir. Como Creador, Él ha diseñado la forma en que la vida debe vivirse. También nos da instrucciones que debemos seguir para mantener el respeto apropiado por Su persona y su verdad. Los Diez Mandamientos en el Antiguo Testamento, el Sermón del Monte en el Nuevo Testamento, y otros pasajes a través de la Biblia dejan claramente definidos los términos que Dios espera de sus hijos.

Sus mandamientos demuestran su amor por nosotros. Cuando vivimos de acuerdo con su verdad, podemos estar seguros de mantener una relación íntima con Él. Como sus hijos, la respuesta apropiada a su dirección es el respeto y la obediencia.

Padres y madres «D» incompetentes

Aunque los padres y las madres dominantes pueden tener muchas cualidades positivas, en algunas situaciones puede salir a la luz un lado negativo. En particular, cuando los hijos ponen en tela de juicio su autoridad, o quieren afirmar su independencia, los padres y las madres «D» pueden sentirse amenazados y llegar a ser autocráticos.

Temor de

Dominante ——————→ **Autocrático**

que se aprovechen
de ellos,
de perder el control.

A menudo el temor mayor de los padres y las madres dominantes es que sus hijos se aprovechen de ellos. Ese temor puede ser el «botón» que estimula para que sean impacientes, de carácter fuerte y exigentes. Y puesto que son orientados hacia las tareas, pueden parecer indiferentes y fríos.

Los padres y las madres autocráticos son sargentos instructores de reclutas que tienen una regla y solo una regla: «Mientras vivas bajo mi techo, vas a hacer las cosas a mi manera».

Usted escucha esta orden principal de muchas maneras, pero siempre entre signos de admiración:

- «¡Lo vas a hacer porque yo lo digo, sin discutir!»
- «¡No te atrevas a hablarme así!»
- «¡O me obedeces, o vas a ver!»

- «¡No preguntes por qué, simplemente hazlo!»
- «No me importa cuántos de tus amigos van a ir. ¡Tú no vas y aquí acaba todo!»
- «Estoy cansada de que pierdas el tiempo. Todos tenemos cosas que hacer en esta casa, ¡y tú vas a hacer tu parte!»

Los padres y las madres autocráticos deben estar en control de sus hijos, y estar en control significa tomar todas las decisiones. Demandan obediencia inmediata y el cumplimiento de sus reglas.

Tienden a usar el enojo para controlar el comportamiento de sus hijos. A menudo los empujan demasiado. Ellos se quejan con frecuencia: «Me estás apurando demasiado», o «Tú no me entiendes».

Este tipo de padre o madre tiende a abusar de su autoridad para tratar de conseguir que sus hijos se conformen a sus deseos. Cualquier tipo de desavenencia, especialmente las explicaciones largas, se considera como falta de respeto.

A estos padres y madres les cuesta admitir cuando están equivocados. Son oidores selectivos, y oyen solo lo que quieren oír para rectificar las situaciones y seguir adelante.

Este enfoque «O haces lo que te digo, o te largas de aquí», tal vez dé resultado en el mundo de los negocios, pero en el hogar puede tener un impacto negativo que dure mucho tiempo en los niños.

Los hijos que provienen de este tipo de hogar tienen el puntaje más bajo en cuanto a su amor propio. Dependiendo de su estilo de comportamiento, este hijo o hija puede responder a la rigidez y la dureza en el hogar tragándose los sentimientos y convirtiéndose en un individuo pasivo, agresivo o estrepitoso, exigente o muy rebelde. En el colegio quizá sea impertinente para conseguir atención. Es posible que use drogas y que se involucre en actividades ilegales.

No se engañe. Los hijos que se han criado en un hogar autocrático llevan cuentas. Su enojo y su dolor se están acumulando por dentro y algún día se van a exteriorizar.

Muchos padres y madres autocráticos tienen dificultad en ajustarse a sus hijos cuando estos son adultos. Sienten la necesidad de continuar diciéndoles qué hacer y cómo mejorar, aun cuando tienen más de cincuenta años.

«Peleamos cada vez que nos vemos —dijo una mujer adulta de su madre—. Si la visito durante una semana, seguro que tendremos dos o tres peleas.

»Siempre piensa que tiene razón. Me hace alguna clase de comentario cáustico, y si le respondo, me ataca y trata de invalidar mis sentimientos.

»Hace poco me puso objeciones en cuanto a la música que escucho. Cuando le pregunté: "¿Por qué estás enojada?"

»"No estoy enojada" —me dijo.

»"Pero, mamá, te ves enojada y estás actuando enojada".

»"Bueno, no estoy enojada, y ese es *tu* problema"».

Lo que necesitan los padres y las madres autocráticos

Si usted es un padre o una madre dominante que tiende a ser autocrático, necesita esforzarse para escuchar, lograr compromisos, expresar más afecto y pasar más tiempo con sus hijos. Necesita divertirse más, descansar, escuchar y ser más sensible a los sentimientos de otras personas.

- En cuanto al control: Acepte no estar a cargo todo el tiempo. Dese cuenta que usted necesita hacer las cosas con otras personas y por medio de ellas, y que ellas van a dejar de responder a su liderazgo si no está combinado con un corazón humilde.
- En cuanto a su forma de comunicarse: Tenga cuidado de no dar respuestas demasiado rápido. Explíquese más, especialmente cuando está mandando a sus hijos a completar una tarea. Exprese en palabras las emociones positivas. Permita que los demás hagan preguntas sin ponerse a la defensiva. Tome en cuenta que otros pueden estar heridos o sentirse avasallados por la fuerza y la intensidad de sus comentarios e instrucciones.
- En cuanto al paso: Resista impacientarse con lo más lentos. Tome las medidas para que existan tiempos divertidos en su familia en los cuales todos, incluyéndose usted, pueden estar tranquilos sin apurarse.

- En cuanto a la prioridad: Preste más atención a sus relaciones. Enfóquese en sus hijos como personas y no en cómo cumplen las tareas.
- En cuanto a la espiritualidad: Admita francamente cuando se equivoca y ha cometido errores. Demuestre su humildad al pedir perdón.

El hijo determinado

No importa si usted tiene nueve, diecinueve, treinta y nueve o cincuenta y nueve años. El comportamiento «D» es comportamiento «D». Solo cambian los escenarios. Las siete características generales del estilo dominante también se aplican al hijo «D», aunque las diferentes características de puntos fuertes es posible que estén en un estado temprano de desarrollo.

Marcos y Juanita no tienen dudas de que su hijo es determinado. Escuchen cómo describen a su hijo David:

«Él es un niño muy fuerte. Trata de estar en control de cada situación, ya sea en la piscina, a la hora de cenar o cuando juega.

»El otro día estábamos en la tienda de comestibles, y yo estaba tratando de elegir qué clase de mantequilla de maní comprar. David se impacientó y dijo: "Papá, simplemente decídete por una". Él quería tomar una decisión, conseguir un resultado.

»Él está siempre lleno de energía, es muy intenso y activo. Es bueno en la escuela porque trabaja duro para completar sus tareas.

»También le gusta competir, pero detesta perder. Es un buen jugador de fútbol, pero se enoja cuando el otro equipo hace goles. Cuando jugamos en nuestro hogar, pone mala cara si no gana».

David también es difícil de disciplinar. «En realidad tenemos que ser muy directos con él. En cambio, nuestra hija es tan sensible que se siente herida en sus sentimientos si uno la mira con seriedad, pero con David tenemos que ser estrictos y enérgicos».

Juanita es una «I» alta, una madre interactiva, y a veces siente como que David la pasa por alto. «El otro día le dije: "David, vamos a ir al centro comercial pronto".

»"Yo quiero mirar un video ahora" —dijo él.

»"No lo puedes mirar ahora porque vamos a salir dentro de unos minutos".

»Entonces se puso insoportable porque no se salió con la suya. Puedo ser paciente con él hasta cierto punto, y luego exploto. Es siempre un tira y afloja».

Marcos dice: «Cuando llego del trabajo Juanita está cansada y agotada. Sé que es el momento en que debo pasar algún tiempo con David».

Tal vez lo que cansa más a Marcos y a Juanita son las constantes preguntas de David. «Simplemente nos agota —dice Marcos—. No tenemos descanso. Es implacable, no acepta un no por respuesta. Para él la palabra no significa: "No he pedido lo suficiente".

»Algunas veces viene a mí y me dice: "Papá, sé que vas a decirme que no, ¿pero crees que esta noche podemos ir a comer helado?"»

El hijo determinado es un líder natural y como resultado puede ser de voluntad muy fuerte. Piensa antes de hacer las cosas y siente cuando los padres son más vulnerables, y luego ataca. Con enojo y en voz alta declara su desaprobación cuando las cosas no salen como quiere.

Puesto que dice lo que piensa, este tipo de niño a menudo hiere los sentimientos de la gente. Puede ser tajante, inclusive grosero. Además, le cuesta decir «lo siento».

Siente una necesidad abrumadora de estar en control. Esta necesidad de control no es una opción, sino una fuerza que lo impulsa en la vida.

El hijo determinado es como el niño en la tira cómica de «Calvin and Hobbes» que declara: «Estoy en paz con el mundo. Me siento completamente calmado... He descubierto mi propósito en la vida... Estoy aquí para que todo el mundo haga lo que yo quiero».

Y luego dice: «Cuando todo el mundo acepte esto, también estarán calmados».

Cómo trabajar con un niño «D»

He aquí algunas formas de ayudar a un niño «D» a alcanzar su potencial máximo:

- Provéale responsabilidades en las que pueda ejercer algún control y realizar elecciones. El grado de responsabilidad debería aumentar con la edad y la madurez del niño.
- Dele metas específicas hacia las cuales debe trabajar. Si es apropiado, aproveche su naturaleza competitiva. Por ejemplo, si su meta es que su hija limpie su cuarto a fondo una vez por semana, haga que la tarea sea un juego en el cual gana algo especial si la completa dentro de un tiempo específico.
- Ayúdele a entender que es bueno fijarse metas y tratar de alcanzarlas, pero que el fracaso es parte de la vida y que no quiere decir que sea un fracasado.
- Ayude a su hijo a ir más despacio y a saber cuándo y cómo descansar.
- Ayúdele a entender la importancia de los límites y las fronteras, aun cuando no esté de acuerdo con usted.
- Utilice las experiencias pasadas de su hijo para enseñarle compasión y comprensión hacia aquellos que pueden estar sufriendo dolor o desilusión.
- Dele tantas elecciones como sea posible. Por ejemplo, dígale a su hija: «¿Quieres ir a dormir ahora o cuando termine este programa en la televisión?»
- Cuando ha llegado la hora de la acción, use órdenes muy breves: «¡Es hora de dormir!» «¡Limpia tu cuarto!»
- Puesto que tiene una necesidad grande de actividad física, provéale muchas oportunidades de correr, saltar y estar en actividad. Evite las actividades que requieren estar sentado por mucho tiempo.
- Por sobre todas las cosas, no permita ser arrastrado a una pelea por el poder entre usted y su hijo «D». Cuando corrige el comportamiento de su hijo, enfóquese en las acciones y sea específico en cuanto a lo que debe hacerse. Razone con él en forma sensata y lógica, pero sea breve. En un intento por controlar la disciplina, su hijo puede abiertamente cuestionar la forma en que se hacen las cosas o intentar negociar un

castigo menor. Sea breve y vaya al grano. Déjele saber quién está a cargo.

Un día, en un restaurante, vi un buen ejemplo de cómo manejar a un hijo determinado. Un padre entró acompañado de sus dos hijas. Él eligió una mesa, pero entonces notó que su hija de cinco años estaba arrastrando a otra mesa una silla alta de madera para su hermanita.

—Daniela, ven aquí —le dijo.

—No, papá, esta mesa es muy buena. Sentémonos aquí.

—Esta mesa tiene tanto espacio como esa, y la silla alta cabe muy bien aquí —le dijo él.

Pero Daniela continuaba insistiendo en la mesa que había elegido. Esta batalla verbal continuó hasta que el hombre finalmente fue donde estaba su hija. Con suavidad colocó una mano en Daniela y la otra en la silla alta, y prácticamente arrastró a las dos hacia su mesa.

Con ese hecho, estableció quién estaba en control. Pero tengo el presentimiento de que las guerras todavía ocurren en ese hogar. Cuando se iban después de haber comido, escuché que Daniela le preguntaba: «Papá, ¿puedo elegir la mesa la próxima vez?»

¿Es usted una «D» alta?

A continuación presentamos una lista de rasgos característicos del individuo estilo «D». Piense en su propio comportamiento y cómo se relaciona con los demás. Subraye las declaraciones que siente que lo describen mejor:

Soy capaz de tomar decisiones con rapidez.
Cuando comienzo un proyecto, lo termino.
Tengo mucha confianza en mis habilidades.
Me gusta llegar al grano cuando hablo con la gente y me impaciento con las personas que les gusta contar historias largas.
Me gusta fijarme metas y trabajar para alcanzarlas.
Me interesa más completar la tarea que lograr que la gente guste de mí.
Me gusta dirigir un proyecto.
Me aburro cuando no tengo algo que me presente un reto.

No me gusta que nadie me esté observando por encima del hombro. Me gusta la libertad de hacer mi trabajo a *mi* manera.
Me vuelvo agresivo y determinado bajo presión.
Tiendo a tener poca tolerancia por los sentimientos y las opiniones de los demás.
Me siento vigorizado cuando se necesita resolver un problema.
No me gustan los detalles molestos cuando estoy trabajando en un proyecto. Prefiero delegarlos a otra persona mientras miro la situación general.
A menudo muestro un estilo frío y distante.
Me encanta competir y detesto perder.

CAPÍTULO CINCO

El estilo «I»

PADRES INTERACTIVOS, HIJOS INFLUYENTES

Susana estaba de compras con su abuela cuando notó que unos relojes de plástico se vendían muy baratos. «Abuela, por favor, cómprame un reloj —le dijo—. No tengo ninguno y lo necesito. Si me quieres, me vas a comprar un reloj».

Su abuela trató de razonar con ella, diciéndole que los relojes baratos no duran mucho. Pero Susana insistió y engatusó a su abuela hasta que... adivinó. Pocas abuelas tienen la habilidad de resistir tal embestida determinada de parte de un nieto amado.

A la mañana siguiente, Susana trató de darle cuerda al reloj y se rompió. La abuela pensó: *Esta va a ser una buena lección para Susana.* Miró a la niña y le dijo:

—¿Viste? Me deberías haber escuchado. Te dije que era un reloj barato. Si me hubieras escuchado, no tendríamos este problema.

—Soy una niña pequeña. Tú debiste obligarme a que te escuchara —dijo Susana mirando a su abuela.

Más tarde la abuela dijo: «Ella fue tan convincente. No sé lo que sucedió o quién estaba en lo cierto. Simplemente le pedí que me disculpara».

Como puede suponer, Susana es una persona «I» típica. Los que son una «I» alta demuestran un estilo interactivo/influyente y enfocan sus energías en persuadir e influir a los demás. Tienden a ser optimistas, habladores y les gusta quedar bien con la gente. Buscan el reconocimiento social y expresan sus emociones; le van a dejar saber cómo se sienten en cuanto a las cosas.

Los «I» alta son dinámicos y están más orientados a la acción que a pensar. Tienden a decidirse con rapidez y se mueven a la acción sin mucha demora. Confían en sus sentimientos y toman decisiones intuitivas basados en cómo se sienten.

Tienden a generar entusiasmo y emoción en su interacción con otras personas. No les gusta hacer las cosas solos y se sienten atraídos por las actividades de grupo y las actividades.

Siete características prominentes del estilo interactivo/influyente

- Son orientados hacia las personas: A los que son «I» alta les encanta la gente y son muy sociables. Su «directiva principal» es ganarse amistades y ejercer influencia en la gente. Su energía y entusiasmo inspira a los demás a que se les unan. Muchos son muy intuitivos en cuanto a los sentimientos de otras personas y son hábiles para «leer» a los demás. Confían en sus semejantes y tienden a manifestar una aceptación incondicional hacia una variedad de personas.
- Son emocionales: Tienden a demostrar sus emociones con franqueza y abiertamente. Son vivaces, dramáticos y reaccionan con emoción a la gente y a los acontecimientos. La mayoría son afectuosos y necesitan ser correspondidos con mucho amor. Por otro lado, tienen mucha dificultad en controlar sus emociones y a menudo son muy sensibles con cualquier clase de críticas personales. Detestan estar solos.
- Les gusta hablar: Las personas que son una «I» alta son comunicadoras persuasivas y les encanta hablar. A menudo relatan historias y chistes entretenidos.
- Les gusta divertirse: Estas personas son muy divertidas. Les gusta reírse y hacer que otros se rían. Debido a que les gusta hacer que las cosas sucedan, la vida es rápida para ellos y rara vez monótona o aburrida.
- Son optimistas: Las personas interactivas le ven el lado positivo a casi todas las situaciones. Anticipan lo mejor y descartan cualquier posibilidad de fracaso. Su lema es: «¡No te preocupes! ¡Sé alegre y feliz!» Desean sacar el mejor provecho de las dificultades y creen que todo va a salir bien. Al mismo

tiempo, tratan de enfrentar las tensiones pasando por alto las realidades desagradables.

- Son espontáneos: Disfrutan de diferentes actividades y necesitan la libertad de seguir sus sentimientos e ir con la corriente. Son de espíritu libre y tienden a ser impulsivos y desorganizados. No les gustan los ambientes estructurados ni tampoco nada que les limite su libertad personal. El lado débil es que, por naturaleza, no son personas que hacen planes. Tienden a no ser cuidadosos con los detalles.
- Buscan aceptación social y aplauso: A los que son una «I» alta les encantan los cumplidos, la alabanza y la admiración. Les gusta ser vistos y notados, y tienden a colocarse para ser el centro de la atención. Cobran vida cuando todos los ojos están enfocados en ellos. Dado que tienden a definirse a sí mismos de fuera adentro, su temor mayor es que los rechacen. Su autorretrato está pintado por la forma en que los demás los ven. Si le pide a una «I» alta que se describa a sí mismo, es posible que escuche: «Mis amigos dicen que soy...», o tal vez: «Otras personas me dicen...»

Un ejemplo bíblico

Pedro, que fue uno de los discípulos de Jesús, me salta a la vista como un buen ejemplo de «I». He aquí un hombre seguro de sí mismo, el primero en hablar en un grupo, y extremadamente impulsivo.

Si usted se fija en la cantidad de espacio que se ha dado a los comentarios y preguntas de los doce discípulos, encontrará que Pedro habla más que los otros once juntos. Era un hombre que hablaba con rapidez y algunas veces sin reflexionar. Pero sus discursos en el libro de Los Hechos y sus epístolas nos revelan que era un comunicador de talento, a pesar del hecho de que tenía poca instrucción formal.

Una noche, cuando los discípulos estaban en el bote, Jesús vino a ellos caminando por el agua. ¿Y quién, sino Pedro, podría haber pensado que él también podría caminar sobre el agua? Pedro dijo: «¿Es Jesús el que está caminado sobre el agua? Yo también quiero caminar sobre el agua». Y se tiró sobre la borda. Pedro siempre estaba tratando de probar cosas nuevas.

También era rápido para hablar. En Mateo capítulo 16, cuando Jesús les pregunta a sus discípulos: «Y ustedes, ¿quién dicen que soy yo?» Él es el primero en contestar, y lo hace con estas palabras: «Tú eres el Cristo, el Hijo del Dios viviente». Y su respuesta recibe la alabanza del Señor mismo. En unos pocos versículos más adelante, Jesús les dice a sus discípulos que debe ir a Jerusalén y morir. Cuando Pedro escucha estas palabras, de nuevo salta y dice: «¡De ninguna manera, Señor! ¡Eso no te sucederá jamás!» Y con ese comentario, Jesús le replica: «¡Aléjate de mí, Satanás!»

En el capítulo 14 de Marcos, cuando Jesús habla de su muerte inminente, Pedro le promete lealtad hasta la muerte con estas palabras: «Aunque tenga que morir contigo, jamás te negaré» (versículo 31). Pero siguiendo el modo de los individuos «I», su cumplimiento de esas palabras no fue tan bueno. Pedro echó maldiciones y negó conocer al Señor.

Después de la crucifixión y resurrección de Jesús, los discípulos se encuentran en un bote pescando, cuando Jesús viene y les habla desde la orilla. Pedro reconoce inmediatamente que Él es el Cristo resucitado, y otra vez salta sobre la borda mientras los otros discípulos reman para llegar a la orilla.

A través de la Biblia vemos que Dios usó a los que son «I» altas para llevar a cabo su obra. ¿Quién quiso Moisés que lo acompañara cuando tuvo que ir a persuadir al faraón que dejara ir a la nación de Israel? A su hermano Aarón, que era una «I» alta. ¿A quién puso Dios como rey de Israel en una época crítica de la historia? A una persona que era una «I» alta, David, que era un hombre conforme a Su corazón. ¿Quién fue el líder de la iglesia del primer siglo? Pedro. ¿Y quién les dio animo a los desanimados discípulos? Bernabé. Todos estos hombres eran «I» altas, y Dios los usó para persuadir y ejercer influencia en la gente para que lo siguieran a Él.[1]

La madre o el padre interactivo

Hay dos clases de personas en el mundo: los que dan abrazos y los que dan la mano. Las personas que dan la mano (principalmente son del estilo «D» y «C») extienden la mano con el brazo rígido para ayudarle a mantener la distancia. Los que abrazan, le dan un abrazo a una persona que no conocen. Los del estilo «I» alta son personas que abrazan sin reparos.

A los padres y las madres estilo «I» les gusta reunirse con sus amigos y sus hijos y hablar, hablar, hablar. Les encanta contar cuentos, jugar a luchar con los hijos, y de todos los estilos de padres y madres, son los que se sienten más libres para jugar con sus hijos.

Mantienen un paso rápido y buscan una variedad de actividades para mantenerse a sí mismos y a sus hijos entretenidos. Les gusta realizar actividades con sus hijos.

Los padres y las madres interactivos proyectan calor y comprensión; otras personas los buscan cuando tienen un problema. Se sienten aburridos con los detalles y con los trabajos rutinarios como limpiar la casa. Prefieren hacer algo con otras personas.

Un sábado por la tarde estaba con mi esposa en la piscina del vecindario, describiéndole los diferentes estilos de criar a los hijos. Mientras hablaba, me di cuenta de que una mujer que estaba cerca de nosotros, nos miraba y estaba escuchando nuestra conversación.

De pronto, esta mujer se metió en nuestra conversación, y no paró de hablar por cinco minutos. «¿Sabe usted? De todos estos estilos de criar a los hijos de que habló, yo soy una "I" alta».

¡No me diga!, pensé.

La mujer continuó hablando. «Usted me ha descrito perfectamente. Amo mucho a mis hijos y me encanta divertirme con ellos. Durante todo el verano he separado tiempo para que mis dos hijas y yo disfrutemos de alguna aventura cada semana. La semana pasada fuimos al zoológico, esta semana vamos a ir a un parque de diversiones, y la semana próxima, cuando mi esposo esté de viaje, las voy a dejar que cada una invite a dos amigas para que vengan a dormir a casa una noche, y tendremos la mejor fiesta que se haya visto.

»¿Y sabe lo que dijo usted que es interesante? Tengo problemas con la disciplina. No me gusta ser la que impone disciplina en ninguna situación. Quiero ser amiga de mis hijas y creo que mi temor es que yo no les guste a ellas. ¿Cree usted que eso está mal? Sé que probablemente es muy permisivo. Pero no me gusta decir que no.

Además, quiero que mis hijas tengan todo lo que no tuve cuando estaba creciendo. Quiero que cuando ellas crezcan y piensen en la familia, sientan que se han criado en una familia positiva y divertida».

A esta altura, los ojos se me pusieron vidriosos, como los de un ciervo cuando mira las luces de un automóvil.

Probablemente no podría haber encontrado un ejemplo mejor de un estilo «I» de criar a los hijos. Estas personas hacen que el hogar sea un lugar cálido y divertido. A sus hijos nunca les falta afecto.

Cómo presenta Dios el estilo «I»

Nuestro Padre celestial muestra un estilo interactivo de paternidad en su deseo de estar involucrado con sus hijos. Muchas personas en forma errada ven a Dios como alguien distante y reservado. Tienen una mentalidad de «Dios nos está cuidando desde un lugar alejado».

Es asombroso pensar que el Dios del universo quiere que lo conozcamos, y que Él ha tomado medidas extraordinarias para comunicarnos que quiere ser parte de nuestras vidas. En realidad, ese es el mensaje de toda la Biblia: Dios quiere que lo conozcamos personalmente.

En Juan 17:3 Jesús dice: «Y ésta es la vida eterna: que te conozcan a ti, el único Dios verdadero, y a Jesucristo, a quien tú has enviado». La respuesta apropiada a un Dios que lo invita a conocerlo y entrar en una relación personal con Él, es aceptar su invitación. Y lo hacemos por medio de la fe en su Hijo, Jesucristo.

Padres y madres incompetentes de estilo «I»

La señora que conocí en la piscina mencionó el problema que muchos padres y madres de estilo «I» enfrentan: quieren caerles bien a sus hijos y no pueden tolerar el pensamiento de que los podrían desaprobar. Debido a esto, este tipo de padre y madre puede llegar a ser demasiado permisivo.

Temor de

Interactivo ⟶ **Permisivo**

no caerles bien a sus hijos.

Los padres permisivos quieren hacer muchas cosas por sus hijos, pero en el proceso cometen el error de darles rienda suelta. Su credo sin palabras es: «Voy a hacer lo que sea necesario para que sean felices».

No les gusta decirles no a sus hijos. Cuando se cruzan las líneas de los límites, simplemente trazan otra línea o hacen caso omiso del problema y confían en que va a desaparecer. Es posible que se reían descartando algo que debería ser tomado en serio.

Mientras estaba de visita en la casa de un amigo, presencié la siguiente escena: Un padre de estilo «I» alta se dio cuenta de que su hijo, Sergio, se estaba yendo a la calle. «Sergio, no salgas a la calle» —le dijo.

Unos pocos minutos después, Sergio corrió de nuevo a la calle, y mi amigo le dijo: «Sergio, ¿qué te dije? No juegues en la calle. Es peligroso». Después de algunos minutos más le volvió a decir: «Sergio, esta es la última vez que te lo digo. No juegues en la calle». Entonces mi amigo se vuelve a mí y me dice: «No sé lo que voy a hacer con este niño».

Mi amigo necesitaba ser más enérgico. Hablarle a Sergio no iba lograr que no jugara en la calle. Este padre necesitaba tomar una acción rápida y decisiva y disciplinar a su hijo por desobedecerle.

En 1 Samuel, capítulos 2 y 3 leemos sobre Elí, el sumo sacerdote de Israel durante la época de los jueces. Allí se nos dice que los hijos de Elí estaban robando porciones de los sacrificios sagrados que traía el pueblo. También se acostaban con las mujeres que servían en el templo. Cuando Elí se enteró de estas cosas, enfrentó a sus hijos, pero ellos no lo escucharon. Elí no hizo nada más. Más tarde, Dios le reveló su juicio sobre Elí y sus hijos al joven Samuel: «Ya le dije [a Elí] que por la maldad de sus hijos he condenado a su familia para siempre; él sabía que estaban blasfemando contra Dios y, sin embargo, no los refrenó» (1 Samuel 3:13).

Los padres y las madres permisivos tienden a tomar lo que dicen sus hijos sin reparos y rehúsan investigar o hacer preguntas. Tienden a ver solo lo bueno en sus hijos. Se colocan a sí mismos en la posición de ser manipulados.

La filosofía de los padres y las madres permisivos es: Haz cualquier cosa que te haga feliz. Y hazla como *tú* quieras hacerla. No quieren que sus hijos no se sientan insatisfechos, especialmente con ellos. Es posible que también teman que si son muy estrictos con ellos, los puedan dañar de alguna forma.

Lo que necesitan los padres y las madres permisivos

Los padres de estilo interactivo necesitan aprender a aplicar algunas de las habilidades de los padres de estilo dominante («D»), y de los concienzudos («C»), para que no caigan dentro de un estilo de criar a los hijos permisivo e ineficaz.

- En cuanto a la comunicación: Deben ser más firmes al comunicar los límites y las fronteras. Que su sí sea sí, y que su no sea no. No permita ser llevado a discusiones persuasivas y persistentes. No sientan que siempre deben explicar por qué quieren que se haga algo. No permitan que los aparten del tema con historias largas. Vaya al grano y limítese al tema. Concéntrese en escuchar más. Las conversaciones de corazón a corazón requieren que se entienda lo que hay en el corazón de la otra persona. No exagere para no ser deshonesto.
- También tenga cuidado de tomar lo que dicen por su sentido literal. Formule más preguntas para descubrir detalles importantes que de otra forma podría perder.
- En cuanto al paso: Vayan más despacio, sobre todo si sus hijos son de paso lento. Les pueden causar muchas tensiones interiores si no tienen cuidado.
- En cuanto a ser permisivos: Sean conscientes en cuanto a la dificultad que tienen para decir no. Un padre amoroso debe, algunas veces, tomar posiciones firmes. Aunque es posible que su hijo se disguste con usted, a la larga le agradecerá.
- En cuanto a las prioridades: Enfóquese más en las prioridades y en mantener los compromisos. Una de las razones por las que ustedes son tan permisivos es que tal vez quieren que la gente no sea tan exigente con ustedes si no cumplen sus propias prioridades, así que sienten que deben hacer lo mismo por sus hijos.
- Escriban sus planes, cumplan las tareas y cuiden los detalles. La autodisciplina les da una plataforma para disciplinar a sus hijos.

- En cuanto a la espiritualidad: Recuerde que la fe y los pensamientos positivos y optimistas no son lo mismo. Confundir las dos cosas puede dar como resultado expectativas no realistas para usted y su familia.

El hijo que es influyente

Al igual que los padres y las madres que son «I» altas, la meta del hijo que ejerce influencia es divertirse y disfrutar su relación con la gente.

En una ocasión, Karen y yo invitamos a nuestro pastor de jóvenes, Brian, y a su esposa a cenar con nosotros. Karen y nuestro hijo Chad fueron al mercado a comprar algunas cosas. Cuando pasaron por el pasillo de los juguetes, Chad (que es una «D» alta y una «I» alta), tomó un almohadoncito de los que hacen ruido y le dijo a su madre: «Comprémoslo y pongámoslo en la silla de Brian».

Karen es una «C» alta, pero sabiendo que Chad tiene la «I» en él, dijo: «Está bien, hagámoslo». Ella se convirtió en parte del ardid, planeando junto a Chad para hacer que la broma les saliera bien.

Los hijos que son una «I» alta hablan hasta por los codos. Así es Ester. Ella está en la edad cuando el teléfono se convierte en una parte pegada a un lado de su cabeza. Un día el padre de Ester la oyó hacer unos comentarios fuera de lugar a su madre. «Ester —le dijo él—, entiendo cómo te sientes, pero no le puedes hablar a tu madre de esa manera». Y le prohibió hablar por teléfono por una semana.

Por supuesto, que prohibirle hablar por teléfono a una persona que es una «I» alta, es como prohibirle el agua a alguien que tiene sed. Después de un día, Ester le dijo: «Papá, ¿podrías darme una nalgadas y terminar con este asunto? ¡El no poder hablar por teléfono me está matando!»

Los hijos influyentes se mantienen en actividad y quieren realizar esa actividad *con* otras personas. Un amigo que tiene una hija que es una «I» alta me dijo: «No puede aguantar estar sola. Cuando la oigo decir: "No tengo nada que hacer", sé que el verdadero problema es que no tiene a nadie con quien jugar. De igual manera, detesta hacer el trabajo de la casa a menos que mi esposa o yo lo hagamos con ella. Entonces se convierte en algo divertido».

Estos niños tienen muchas ideas maravillosas y creativas, pero a menudo no las pueden desarrollar porque tienen un período muy corto en el que pueden prestar atención. «Este niño es eléctrico», o «Esta niña no se puede quedar quieta ni un segundo», son descripciones frecuentes de los niños que son «I» altas. Tienden a actuar impulsivamente y a pensar más tarde.

Tienen confianza en la gente. Nadie es extraño para ellos, todo el mundo es su amigo.

Son muy sensibles a lo que otros niños piensan de ellos, así que son muy vulnerables a la presión del grupo. Les gusta la gente y quieren que la gente guste de ellos. La aceptación de parte de sus compañeros puede convertirse en una obsesión para ellos.

Su naturaleza cariñosa se puede convertir en enojo inmediato cuando alguien o alguna cosa se les interpone en el camino. Sus emociones son una combinación de altos y bajos, yendo de la risa a las lágrimas y de nuevo a la risa. Debido a sus rápidos cambios de humor, se ajustan con rapidez a las desilusiones y, por lo general, pueden sacarle el mejor provecho posible a una situación mala.

Los hijos que son francos con sus sentimientos necesitan muchos besos y abrazos. Chad tiene mucho de las características de la «I» en él, todas las noches me acuesto a su lado, prácticamente pegado a él. Luchamos juntos un minuto o dos y luego oramos. Después me da un abrazo bien apretado y un beso. Es posible que delante de sus amigos actúe como que eso no le gusta, pero cuando estamos los dos juntos de noche, a la hora de ir a dormir, es diferente. No se acuesta sin que lo bese y lo abrace.

Cómo trabajar con un hijo o hija que es una «I» alta

He aquí algunas formas en que puede ayudar a un hijo que es una «I» alta a alcanzar su potencial máximo:

- Haga planes para disfrutar de tiempos de diversión. Haga que su hogar sea un lugar cálido y amigable.
- Dele ánimo constantemente. Sea específico describiéndole sus puntos fuertes y sus logros. (Vamos a hablar más de esto en uno de los siguientes capítulos.)

- Escriba sus instrucciones. Dele ideas para pasar del hablar a la acción.
- Sueñe con su hijo. Deje que su imaginación se despliegue junto a la de él soñando en lo que harán, los lugares que visitarán, aun cuando no sea posible que haga que ese sueño se cumpla. Simplemente diga: «Sería maravilloso que nuestra familia completa pudiera ir a Hawai. ¿Qué sería lo primero que harías si pudiéramos ir?» Déjelo soñar sin sentir que lo debe traer de vuelta a la realidad.
- Recompénselo de inmediato cuando hace algo bueno dándole incentivos y reconocimiento, cosas tales como estrellitas doradas, premios y cintas.
- Dele a su hijo muchos besos y abrazos. Este tipo de persona necesita dosis grandes de afecto constante.
- Entienda que quiere hacer lo que hace todo el mundo. Ayude a su hijo a enfrentar la presión del grupo y a lidiar con situaciones desfavorables.
- Ayúdelo a pensar a fondo en los detalles de un proyecto.
- No sea frío, desinteresado, distante, impersonal, demasiado orientado hacia las tareas, o parco en palabras. Su hijo va a llegar a la conclusión de que hay algo que no está bien con él o simplemente que no le cae bien a usted.
- No sea crítico o demasiado rápido para emitir un juicio. Nunca lo ridiculice en público, especialmente frente a sus amigos.
- Asegúrese de que su hijo que es una «I» alta tenga amigos con quien jugar y aproveche ese deseo de compañerismo haciendo cosas con él o ella, especialmente durante los años antes de la adolescencia, cuando él quiere estar con usted.

¿Es usted una «I» alta?

A continuación presento una lista de las características de un individuo que es del estilo «I». Piense en su comportamiento e interacciones con otras personas. Subraye las declaraciones que piensa que lo describen mejor a usted.

Me gusta hablar. Nunca me faltan las palabras.

Me siento cómodo en las fiestas grandes.

Por lo general no tengo problemas para hablar con gente que no conozco.

Me gusta estar involucrado en un proyecto siempre y cuando lo haga con otra persona.

Puedo persuadir a otras personas para que se unan a mí en diferentes actividades y proyectos.

Estar con otras personas me vigoriza. No me gusta estar solo por mucho tiempo.

Siempre me puedo lanzar a realizar actividades con mucho entusiasmo.

Por lo general me gusta mirar el lado positivo de las cosas.

Las personas no tienen muchos problemas para saber cómo me siento.

Tengo muy pocos problemas para expresar lo que pienso de las cosas.

Me gusta estar frente a grupos grandes, y recibir reconocimiento.

Tengo muchos amigos.

No soy siempre tan organizado como debería ser.

Algunas veces tengo problemas para completar un proyecto; tiendo a saltar de una actividad a otra.

Me gusta hacer las cosas de formas diferentes. Puedo pensar en ideas creativas e ingeniosas.

NOTAS

1 Para más información sobre como el modelo DISC puede ayudarle a entender a los personajes bíblicos, le sugerimos que vea *Understanding How Others Misunderstand You*, por Ken Voges y Ron Braund (Chicago: Moody Press, 1990). Ken también ha escrito *The Biblical Personal Profile* (Minneapolis: Carlson Learning Company), que le ayudará a comparar su estilo de comportamiento al de ciertos hombres y mujeres de la Biblia.

CAPÍTULO SEIS

El estilo «S»

PADRES QUE APOYAN E HIJOS SENSIBLES

La forma en que Alberto jugaba con los gatos convenció a Bárbara de que él sería un buen padre. «Era la forma en que les mostraba cariño a los gatos, de manera suave, con ternura».

Había otros aspectos en cuanto a Alberto. «Es equilibrado, responde cuando lo necesitas. Se puede depender de él».

Era cariñoso. Bárbara creció en una familia que no demostraba cariño, y cuando Alberto le comenzó a decir: «Te amo», ella no le podía responder. «Yo quería decirle que dejara de decirme "Te amo" tan seguido» —dice ella.

Es probable que conozca personas como Alberto. Se puede depender de individuos «I» alta como él, son las «rocas» que ayudan a mantener el tono emocional de un hogar o una oficina. Usted se siente cómodo alrededor de personas así.

SIETE CARACTERÍSTICAS PROMINENTES DEL ESTILO COMPRENSIVO/BONDADOSO

- Son firmes. Van a estar a su lado en las buenas y en las malas. Son sufridos, dedicados y leales. También continúan con una tarea hasta que la terminan y son notablemente consecuentes para su edad. Cuando esta característica positiva es llevada a un extremo, también pueden llegar a ser muy aferrados a su estilo de hacer las cosas.
- Les gusta trabajar en equipo. Cuando muestran su mejor comportamiento, son personas dedicadas, consideradas y comprometidas con el equipo, ya sea este familiar o de trabajo. Cooperan y nos les gusta tomar decisiones que pueden alterar el estado de las cosas en un momento dado.

- Prefieren lo que le es familiar: Debido a que necesitan la seguridad de la estructura y la rutina, les gusta que las cosas se hagan a horas regulares y de acuerdo con un orden consecuente. Se sienten más cómodos con los patrones de hábitos establecidos y con las repeticiones. No les gustan los cambios que no han sido planeados ni las sorpresas, y necesitan bastante tiempo para adaptarse cuando el cambio es inevitable. No les agrada el cambio porque amenaza su seguridad y, a veces, en forma caprichosa persistirán tratando de mantener las cosas como están. Le dan mucha importancia a la estabilidad dentro de la familia.
- Les gusta prestar servicios: La «directriz principal» de una «I» alta es ser de ayuda a otros. No esperan a que se les pida algo. Son felices cuando suplen las necesidades de otras personas. Con más frecuencia, preferirían seguir que liderar.
- Son humildes: No les gusta estar bajo las candilejas ni ser el centro de la atención. No hacen alarde de sus logros y aunque necesitan sentirse apreciados, no les gusta que les muestren atenciones. Se preocupan por mantener un comportamiento cortés, sereno y amigable. No les gusta parecer orgullosos o agresivos, y se sienten incómodos con demasiada atención, especialmente en público.
- Su compromiso es con las personas: Tienden a ser poco exigentes y cálidos en sus relaciones con los demás. Se esfuerzan por mantener la armonía tolerando los errores de otras personas, y pocas veces son duros cuando corrigen esos errores. Tal vez no tengan tantos amigos como los «I», pero son leales y dedicados con los que tienen. Son los que tienen la billetera llena de fotos de la familia. Cultivan relaciones estrechas y duraderas.
- Son pragmáticos: Tienen un enfoque práctico de completar las tareas y las realizan paso a paso. Tienden a pensar antes de actuar y necesitan saber cómo se debe hacer algo desde el comienzo hasta el fin. Debido a su orientación hacia la acción práctica y el pensamiento, son descritos como personas con las cuales es fácil vivir y trabajar.

Los individuos que son «S» alta tienen tendencias naturales para aconsejar y demuestran mucho apoyo. Son compasivos y buenos oidores, como también buenos diplomáticos y pacificadores.

No les gusta el comportamiento agresivo e insistente y les molestan los enfoques impersonales. Su pregunta principal es: «Lo que me propone ahora, ¿cómo me afectará a mí, a mi trabajo, a mi familia, a mi vida?»

Su punto más fuerte es que se puede depender de ellos, prestan apoyo y cooperan. Su punto más débil es que la gente se puede aprovechar de ellos. Pueden ser demasiado sensibles. Tal vez no estén dispuestos a cambiar, aunque el cambio fuera a favor de ellos.

Un ejemplo bíblico

La Biblia nos presenta a Abraham como un hombre que expresó muchas características de una «S» alta. En Génesis 13, por ejemplo, se describe cómo se radicó con su esposa Sara y su sobrino Lot en un lugar llamado Betel. Debido a que los dos hombres tenían mucho ganado, era difícil que estuvieran juntos sin tener frecuentes altercados entre los pastores de cada uno. Así que Abraham, el pacificador, interviene y dice: «No debe haber pleito entre nosotros, ni entre nuestros pastores, porque somos parientes. Allí tienes toda la tierra a tu disposición. Por favor, aléjate de mí. Si te vas a la izquierda, yo me iré a la derecha, y si te vas a la derecha, yo me iré a la izquierda» (Génesis 13:8, 9),

Ahora, permítame preguntarle: ¿Cómo habría manejado la situación una persona como el apóstol Pablo, una «D» alta? «Mira, Lot, *tú* estás viajando *conmigo*, ¿recuerdas? Yo soy el que mando. Te estoy haciendo un favor dejándote venir con nosotros. Es necesario que mantengas a tus rebaños lejos de los míos. Así que habla con tus hombres y hazlos obedecer, ¡o de lo contrario...!»

Pero Abraham estuvo dispuesto a permitirle a Lot que fuera el primero en escoger la tierra que quería. Lot escogió la tierra que consideró mejor, la tierra exuberante y bien regada al lado del Jordán, Sodoma y Gomorra, y se fue hacia el este. Abraham no hizo ningún cambio significativo. Continuó viviendo en Canaán. Su comportamiento es como el de una «S», quiere ser pacificador y desea lo mejor para todos los que están involucrados en el pleito.

El padre y la madre que apoya

Los que son de la categoría «S» alta les proveen un fuerte sentido de seguridad a sus hijos. Se adaptan para suplir las necesidades de estos, a veces a expensas de las propias. Tienden a ser extremadamente solícitos, en especial cuando sus hijos son bebés. Están siempre atentos y se preocupan por la seguridad de sus hijos.

Les proveen un sentido fuerte de lo que es el hogar y la familia. Ayudan a crear un ambiente hogareño cálido, cómodo, que presta apoyo, centrado en las personas y en las rutinas familiares. También son buenos para establecer tradiciones familiares.

Un ejemplo clásico de una «S» alta era Edith Bunker, en el antiguo programa cómico de la televisión. Si usted pasa por alto el lado indeciso de este personaje, que su esposo Archie siempre criticaba, Edith era el factor estabilizador de la familia. Aunque Archie se llevaba mal con su yerno, Edith se llevaba bien con los dos.

En su libro *People Smart,* el autor Tony Alessandra la llamó «Un puente sobre aguas peligrosas», el corazón de la unión familiar.[1] Ella disfrutaba mucho de su familia y de sus vecinos, inclusive de los difíciles, a pesar de sus diferencias. El enfoque de ella era en las cualidades positivas de la gente y no parecía darse cuenta de las negativas. Personificaba el comportamiento considerado, amable y previsible del estilo «S».[2]

Yo crecí con una madre «S». Su prioridad eran su hogar y su familia. Ella era una persona amorosa, que se preocupaba, y muy sensible a mis necesidades y las necesidades de mi padre. No le gustaba tomar riesgos, sino que prefería mantener las cosas en equilibrio. Recuerdo a mi hogar como un lugar seguro y pacífico en el cual crecer. Nuestras tardes las pasábamos sentados juntos, disfrutando de la compañía los unos de los otros en calma y quietud.

A mamá le gustaba mucho servir a las personas. En forma particular, le gustaba tratar de pensar en lo que uno necesitaba antes que uno mismo se diera cuenta que lo quería. Si papá y yo estábamos sentados en la sala mirando televisión, ella nos preguntaría: «¿Alguien quiere tomar algo?»

«Bueno —diría yo—, ahora que lo pienso, creo que un refresco me vendría bien». Y antes que nosotros pudiéramos quitar la vista del programa que nos tenía entretenidos, nos alcanzaba un vaso de refresco. Mi mamá esperaba el momento para servirnos y suplir nuestras necesidades.

Y hoy... mi esposa Karen (una «C» alta), también espera, es decir, espera que *yo use* mis dos manos y mis dos pies para ir a buscar lo que necesito. Ella heredó eso de *su* propia madre. Recuerdo cuando éramos novios y yo estaba en su casa visitándola y mirábamos televisión. Le dije a Karen (frente a su madre): «Querida, ¿me podrías traer un refresco?» La mamá de ella, se levantó de su asiento, caminó hacia donde estaba sentado, me tomó del brazo y me dio un recorrido turístico de la alacena y el refrigerador para que supiera dónde estaban las cosas y pudiera ir a buscarlas yo mismo.

Después que crecí y fui a la universidad, mi mamá fue a trabajar fuera del hogar. Las personas que trabajaban con ella en la oficina de la intendencia municipal apreciaban mucho su firmeza y su habilidad de trabajar duro. Cuando murió en el año 1984, cientos de personas en su funeral me comentaron cuánto apreciaron la sensibilidad y el espíritu sincero de ella.

Cómo Dios presenta el estilo «S»

Ningún pasaje de las Escrituras nos presenta a Dios como un padre que apoya, sostiene, mejor que el Salmo 23. Este salmo tan conocido expresa la relación calma y pacífica a que Dios nos guía:

> El SEÑOR es mi pastor, nada me falta;
> en verdes pastos me hace descansar.
> Junto a tranquilas aguas me conduce;
> me infunde nuevas fuerzas.
> Me guía por sendas de justicia
> por amor a su nombre.
> Aun si voy por valles tenebrosos,
> no temo peligro alguno

porque tú estás a mi lado;
tu vara de pastor me reconforta.
Dispones ante mí un banquete en presencia de mis enemigos.
Has ungido con perfume mi cabeza;
has llenado mi copa a rebosar.
La bondad y el amor me seguirán
todos los días de mi vida;
y en la casa del SEÑOR
habitaré para siempre.

En otros pasajes de las Escrituras se describe a Dios como nuestro ayudador (Salmo 33:20; 46:1; 121:1; 124:8; Isaías 41:10; Hebreos 13:6), nuestro redentor (Salmo 103:3), nuestro consolador (2 Corintios 1:3, 4), y nuestro amigo (Juan 15:13-15). Todos estos ilustran la naturaleza firme, dedicada y solícita de Dios.

En respuesta al estilo de nuestro Padre celestial de apoyarnos, sustentarnos, podemos seguir lo que dice Lamentaciones 3:22-26, y colocar nuestra esperanza firmemente a su cuidado:

El gran amor del SEÑOR nunca se acaba,
y su compasión jamás se agota.
Cada mañana se renuevan sus bondades;
¡muy grande es su fidelidad!
Por tanto, digo: El SEÑOR es todo lo que tengo.
¡En él esperaré!
Bueno es el SEÑOR con quienes
en él confían,
con todos los que lo buscan.
Bueno es esperar calladamente
a que el SEÑOR venga a salvarnos.

El peligro de ser complaciente

Una debilidad común entre los individuos «S» es que llegan a ser demasiado complacientes. Están tan preocupados de que otros sean felices, y tan temerosos de perder una relación íntima, que permiten que otras personas los lleven por delante.

Temor de

Apoya ————→ **Complaciente**

perder la seguridad de una relación íntima.

Un amigo me habló de una pareja a la que estaba aconsejando. La esposa estaba viendo a otro hombre, y el esposo lo sabía. «No me gusta —había dicho ese hombre—, pero quiero que ella sea feliz».

El consejero estaba muy sorprendido. ¿Cómo podía ese hombre ser pasivo y ver que su esposa salía con otro hombre? El consejero entonces miró el perfil DISC del hombre y vio que era una «S» extremadamente alta.

«A usted le gusta complacer a la gente — le dijo el consejero a ese hombre—, pero esto ha ido demasiado lejos. Si en realidad ama a su esposa, no va tolerar que ella esté saliendo con otro hombre». Lo que había sucedido es que esta clase de comportamiento complaciente había causado que su esposa llegara a la conclusión de que a él no le importaba el matrimonio de ellos.

Aunque esta historia tal vez sea un poco extrema, ilustra el peligro de la complacencia. Los padres que dan apoyo, a veces llegan hasta tal extremo para suplir las necesidades de sus hijos, que en realidad detienen la madurez de estos y los dejan sin la preparación necesaria para enfrentar la vida solos.

En su excelente libro titulado *Parenting with Love and Logic,* Foster Cline y Jim Fay llaman a este estilo el «padre o la madre helicóptero».

> Algunos padres creen que el amor significa hacer girar sus vidas alrededor de sus hijos. Son padres y madres helicópteros. Se ciernen sobre sus hijos y los rescatan cuando se presentan problemas. Están siempre llevando almuerzos, notas otorgando permiso y tareas a la escuela; siempre están sacando a sus hijos de problemas; no pasa un día sin que estén protegiendo a su hijo de algo, por lo general de una experiencia de aprendizaje que el niño necesita o merece. Tan

pronto como su hijo o hija envía una señal de socorro, los padres o las madres helicópteros, que están volando cerca, descienden en picada para proteger a sus hijos de maestros, compañeros de juego y otras demandas que les parecen hostiles.[3]

Los autores continúan diciendo que, mientras que estos «amorosos» padres y madres tal vez sientan que están facilitando el camino de sus hijos para la adultez, en realidad, los están preparando para años de lucha. Habiendo sido protegidos durante toda su vida, los hijos de padres y madres helicópteros no están ni preparados ni equipados para los desafíos de la vida.

Conozco a una madre helicóptero que no deja que sus hijos jueguen con los niños del vecindario por temor de que se resfríen. Mientras protege a su hijo de los gérmenes, está deteniendo su desarrollo emocional y social.

Otro problema común de los padres complacientes es que con demasiada facilidad tienden a *ceder* para evitar desacuerdos. Quieren mantener la paz a toda costa.

Niña: «Mamá, ¿puedo comprar estos zapatos rojos?»

Madre: «No, Carla. Ya hemos hablado sobre esto. Necesitas zapatos blancos para usar con tu vestido de Pascua, y zapatos negros para usar con tu uniforme de la escuela. Hoy solo podemos comprar un par de zapatos, blanco o negro».

Niña (en voz alta y con emoción): «¡Quiero los zapatos rojos!»

Madre: «No, no tenemos dinero para comprar dos pares».

Niña: «Te odio. Nunca me compras lo que quiero».

Madre: «Eso que me dijiste es terrible. Tú sabes que no me odias. Además, debes hablar en voz más baja. La gente está comenzando a mirarnos».

Niña (aun en tono más alto): «*Sí,* te odio, y no me importa quién nos está escuchando».

Madre: «Está bien, está bien... cálmate. Vamos a comprar los zapatos rojos solo por esta vez. Pero debes prometerme que no vas a pedir nada más».

Niña: «Te lo prometo».

El permitirles a los hijos que presionen hasta salirse de los límites y las fronteras es, a la larga, imprudente y dañino para ellos. Los hijos de padres o madres complacientes pueden llegar a ser demasiado dependientes de sus progenitores, incluso después que han crecido.

Una cosa más. Un padre o madre «S» alta que es complaciente, es posible que encuentre difícil expresar sus sentimientos, especialmente si se siente como que le han tomado ventaja o que ha sido usado. Puesto que estos padres y madres están acostumbrados a hacer sacrificios personales para satisfacer las necesidades de los demás, pueden luchar interiormente con el sentimiento de no sentirse apreciados. Muchas veces sienten que las personas se aprovechan de ellos.

Recuerde, los individuos que son «S» alta necesitan que les demuestren aprecio sincero y tangible por todo lo que hacen.

Lo que necesitan los padres y las madres complacientes

- En cuanto a la comunicación: Sea más franco en cuanto a sus sentimientos. Hable cuando algo lo disgusta, más bien que guardar sus sentimientos y frustraciones. Sea más decidido y mantenga las reglas que ha desarrollado.
- En cuanto al paso: Hay ocasiones cuando usted se debe apurar y empujarse a sí mismo más allá de la zona de comodidad. Tome más iniciativas cuando sea apropiado.
- En cuanto a las prioridades: No existen dudas en cuanto a su amor y preocupación por su familia. Sin embargo, no permita convertirse en un rescatador quien constantemente saca a sus hijos de problemas. Permita que sus hijos experimenten las consecuencias lógicas de sus acciones. Para que ellos lleguen a ser adultos responsables, deben aprender a manejar las dificultades en que se meten. La frecuencia en que usted practique esto tal vez deba variar de acuerdo con la edad y el estilo de comportamiento de sus hijos.
- En cuanto al cambio: Aprenda que el cambio es inevitable. Las familias se mudan de un lugar a otro, los hijos crecen y se van del hogar... simplemente las cosas no se quedan iguales.

Preserve y aprecie el pasado con tradiciones, coleccione objetos y recuerdos, pero no le tema al cambio saludable.

- En cuanto a sí mismo: Tomar tiempo para sí mismo no quiere decir que no sea espiritual o cariñoso. Planee por lo menos una cosa por semana que llene su tanque emocional, el cual vacía tan pronto por los demás.

El hijo sensible, bondadoso

Una cosa de la que no se debe preocupar con los hijos «S» es si tienen o no amigos. Tal vez no se hagan parte del grupo con tanta rapidez con los hijos «I», pero van a ser selectivos y harán algunos buenos amigos. Tienden a ser calmados, tranquilos y se preocupan en cuanto a caerles bien a los demás. Les gustan mucho a la gente porque son muy fáciles de complacer. Si tiene un hijo «S», es posible que otros padres y madres le digan: «Tu hijo es muy buen amigo de mi hijo y es muy agradable que venga a nuestra casa».

A los hijos sensibles les agrada ser parte de un grupo, y en los deportes son buenos jugadores en equipo. Dado que son de paso lento, no van a trabajar en los proyectos con rapidez, sino que les gusta realizarlos en forma metódica.

También les gusta que les muestren cómo hacer las cosas. No le pida a su hijo «S» que haga emparedados de atún y espere que pueda darse cuenta de cómo hacerlo por sí solo. En cambio, tome algunos minutos para mostrarle cómo hacer los emparedados, paso a paso, y en el futuro va a seguir el procedimiento en forma exacta. Esto es algo muy importante que los maestros deben saber. A menudo un niño que es una «S» alta va a realizar trabajos mediocres porque no entiende exactamente cómo hacer algo, y es posible que sea muy tímido o sienta vergüenza de preguntar.

Los niños «S» responden muy bien a una rutina establecida y definida con claridad. Se sienten más seguros en un ambiente familiar. Temen el cambio de los niveles sociales y se preocupan por mantener las cosas como están. No les gustan las sorpresas ni que les cambien las cosas que están acostumbrados a hacer. Los cambios constantes, la confusión y las crisis les causan mucha inquietud interna. Estos niños necesitan saber con anticipación que un cambio importante va a tener lugar.

Son más vulnerables a la inestabilidad familiar que otros niños. Van a sentir mucho estrés si usted no demuestra unidad en su matrimonio.

Muchos padres y madres dicen que sus hijos «S» son fáciles de criar. El desafío para los adultos es evitar tomar ventajas de la naturaleza complaciente de estos niños.

Tienen la tendencia de llevarse bien con todo el mundo y se desempeñan bien con el tipo de padres y madres orientados hacia las personas. Algunas veces van a tener luchas interiores si ambos padres son «D» alta o «C», o si viven en un ambiente hogareño muy orientado hacia las tareas. Necesitan sentirse en relaciones íntimas para desempeñarse mejor.

Mi amiga Sandra Merwin es consejera, maestra y escritora, vive en Minneapolis, Minnesota, Estados Unidos Es una enciclopedia de buenas anécdotas acerca de niños que presentan los diferentes estilos de comportamiento DISC.[4] Para describir la naturaleza despreocupada de un niño «S» alta, me habló sobre Jaime, un joven que quiso entrar al equipo de baloncesto de su secundaria. Sus padres sabían que era un buen jugador, así que se sorprendieron mucho cuando el joven llegó a su casa después de las pruebas con la noticia de que no había calificado para el equipo.

Cuando le preguntaron qué había pasado, Jaime les dijo que el entrenador les había dado a cada uno una oportunidad de anotar un tanto tirando la pelota desde la zona de tiro libre. Solo los que anotaron quedaron en el equipo, y Jim erró el tiro.

Los padres estaban perplejos. ¿Cómo era posible que un entrenador escogiera a los jugadores con una prueba tan inapropiada? Bajo esas circunstancia, inclusive Michael Jordan podría errar el tiro.

Más tarde supieron que el entrenador estaba usando el tiro libre como una prueba del deseo de cada jugador de entrar al equipo y de su espíritu competitivo. A los jugadores que le rogaron al entrenador que les diera otra oportunidad se les permitió continuar tratando de entrar al equipo. Pero Jaime, un muchacho de naturaleza tranquila, aceptó su suerte y se fue de las pruebas.

Sucedió que Jaime tuvo la oportunidad de redimirse. Entró al equipo subalterno de la universidad, y pudo demostrar que aun los muchachos tranquilos pueden ser competitivos. En unas pocas semanas, fue promovido al equipo titular de la universidad.

A los niños sensibles no les gustan los cambios. No les gusta cambiar sus horarios y el pensamiento de mudarse a otra casa o ciudad les causará mucha tensión. Una niña, que vivía en una casa de personas rápidas «D» a quienes les gustan los cambios, escribió lo siguiente en una tarea escolar: «A nadie en mi familia le gusta volver a hacer la misma cosa otra vez. A mí me gusta hacer las mismas cosas siempre. Mi mamá por lo general está ocupada haciendo muchas cosas. A mí no me gusta hacer muchas cosas. Me gusta hacer una o dos cosas. Por las tardes siempre tenemos que ir a algún lugar y hacer algo. Cuando crezca no siempre voy a tener que ir a algún lugar y hacer algo».

Esta pobre niña se sentía apabullada en su propia familia. Nadie se tomó el tiempo para entender sus necesidades.

Trabajar con un niño o niña «S»

He aquí algunas formas en que puede ayudar a un niño «S» a alcanzar su potencial máximo:

- Haga que su hogar sea un lugar lo más estable posible. Reduzca el número de cambios inesperados al preparar a su hijo por adelantado. Recuerde que un niño de este tipo de comportamiento necesita mucho tiempo para prepararse para los cambios. No lo obligue a tomar decisiones rápidas o a adaptarse muy rápidamente.
- Anímelo a que exprese sus sentimientos con más frecuencia.
- Ayúdelo a que se fije metas y recompénselo expresando su apoyo sincero.
- Dele apoyo y seguridad personal.
- Haga todo el esfuerzo posible para cumplir sus promesas. Si sucede algo que le impide a usted continuar con los planes, entienda que su hijo tal vez se va a sentir desilusionado. Pídale disculpas y trate de ponerse en su lugar, en vez de insistir que actúe en forma razonable o lógica.
- Asegúrese de responder a sus «cómo». Espere proporcionar explicaciones paso a paso.

- Sea cálido y personal con su hijo antes de involucrarlo en una tarea.
- Ayúdelo a tomar decisiones por sí mismo comenzando temprano a presentarle elecciones. Cuando su hijo le pregunta que haría usted, diga: «No sé. ¿Qué crees tú?»
- Vigile el tono de su voz con este hijo. Las reacciones en voz alta y con enojo pueden causarle que se encierre dentro de sí.
- No sea dominante ni exigente.
- No tome las decisiones que debe tomar su hijo. Muéstrele cómo tomar decisiones por sí mismo.
- No lo obligue a que esté de acuerdo con usted. Su tendencia va a ser ceder más bien que expresar sus propios deseos. Pero ocultará sus sentimientos, los que saldrán a la superficie más tarde.

¿Es usted una «S» alta?

A continuación presentamos una lista de tendencias características de un individuo «S» alta. Piense en cuanto a su comportamiento e interacción con otras personas. Subraye las características que mejor lo describen a usted:

Me gusta ayudar a la gente cuando veo que necesitan algo.

Escucho bien y puedo calmar a las personas cuando están disgustadas.

Me toma tiempo ajustarme a los cambios; prefiero que las cosas permanezcan iguales.

Por lo general soy una persona poco exigente.

Si estoy disgustado, por lo general, mantengo mis emociones ocultas.

Me gusta tener amistades sólidas y duraderas.

Me gustan los planes a corto plazo.

La gente me ve como una persona paciente y que no se queja.

Por lo regular encuentro maneras de evitar conflictos y de mantener la paz.

Las personas de paso rápido se frustran conmigo debido a mi paso lento.

No me gustan los proyectos donde se espera que yo resuelva cómo se debe hacer algo; muéstreme cómo hacerlo y lo haré bien.

Por lo general las personas se sienten tranquilas a mi lado.

Algunas veces soy demasiado sensible.

Voy a liderar si lo tengo que hacer, pero prefiero seguir.

Me gusta ser parte de un equipo.

Me gusta la alabanza sincera, pero tal vez sienta vergüenza si hay mucha atención enfocada en mí.

Soy un trabajador en quien se puede depender; tomo mi trabajo con mucha seriedad.

A menudo tengo dificultad para tomar decisiones con rapidez.

NOTAS

1 Tony Alessandra y Michael O'Conner, *People Smart* (La Jolla, California: Keynote Publishing Company, 1990), 221.

2 Ibid., 221.

3 Foster Cline y Jim Fay, *Parenting with Love and Logic* (Colorado Springs: NavPress, 1990), 23, 24.

4 El excelente libro de Sandra Merwin, *Figuring Kids Out,* se puede obtener escribiéndole a ella a esta dirección: TigerLily Press, 4655 Baker Road, Minnetonka, MN 55343.

CAPÍTULO SIETE

El estilo «C»

PADRES DISCIPLINARIOS, HIJOS CONCIENZUDOS

De nuestros cuatro estilos de comportamiento primarios, el «C» (cuidadoso, concienzudo, condescendiente, correcto) tal vez sea el más complejo. Los individuos «C» alta a menudo son reservados y callados, sin embargo, hay mucho más sucediendo debajo de la superficie de lo que la mayoría de la gente percibe.

He aquí algunos de los comentarios que escucho hacer sobre las personas «C» alta:

«Él es muy callado cuando uno lo conoce, pero cuando descubre lo que hay debajo de la superficie encuentra que es muy interesante».

«Ella nunca habla mucho durante la clase, pero en sus trabajos escritos veo que ha comprendido mejor los asuntos que los que hablan todo el tiempo».

«No me di cuenta de que era tan creativa».

«A veces me parece muy poco emotivo, así que me sorprendí el otro día cuando vi lo afectuoso que era con su esposa y sus hijas».

«Él está dos horas en una reunión escuchando a todos los demás expresar sus opiniones acerca de un problema que estamos enfrentando y, cuando finalmente habla, por lo general nos da la mejor solución».

«Algunas veces creo que no le caigo bien a ella, pero en otras oportunidades es muy amigable y afectuosa. Es difícil entenderla».

Puesto que por naturaleza son más reservados, recuerde que la expresión: «Lo que ve es lo que en realidad es» definitivamente no se aplica a las personas «C» alta. Las primeras impresiones rara vez son suficientes para conocer a este estilo.

Las «C» alta son orientadas hacia las tareas, capaces, competentes y les importa mucho la calidad de su trabajo. Tienden a ser personas privadas que se sienten cómodas estando solas y trabajando en forma independiente.

Su independencia viene de un énfasis en uno de sus puntos fuertes que es que piensan en forma callada, buscan recursos dentro de sí mismos más que afuera. Esta característica da la impresión de que tienen confianza en sí mismos y dominio propio, y que son independientes.

Puesto que son más reservados en cuanto a sus emociones, mantienen sus sentimientos dentro de sí más bien que expresarlos. Tienden a ser cautelosos al establecer nuevas relaciones y, por lo general, esperan que la otra persona tome la iniciativa.

SIETE CARACTERÍSTICAS PROMINENTES DEL ESTILO DISCIPLINARIO/CONCIENZUDO

- Mantienen normas altas: Se miden a sí mismos y a su comportamiento con la regla estricta de una autoridad interior fuerte y exigente. Cualquier cosa que firmen, quieren que refleje excelencia. Cuando no alcanzan sus normas interiores, con frecuencia se sienten culpables y ansiosos. Tal vez luchen con un amor propio bajo porque no alcanzan esas normas personales de excelencia. Temen que se les critique su trabajo y van a trabajar duro para evitar la crítica a toda costa.
- Son atentos a detalles importantes: Los individuos «C» alta prestan mucha atención a los detalles importantes y quieren que usted también lo haga. Les gusta completar sus tareas hasta el último detalle, sin errores o fallas. Debido a que prestan tanta atención a los detalles, rara vez están equivocados.
- Autodisciplinado: Toman su trabajo con seriedad y son capaces de realizar esfuerzos determinados e intensos. Miran la autodisciplina como esencial para el éxito y la actuación aceptable.
- Precavidos: Son cuidadosos, calculadores y prudentes en todas las esferas de sus vidas, tienden a evitar riesgos y no son propensos al desenfreno o a los excesos extravagantes. No

expresan sus sentimientos con facilidad o comodidad. Como resultado, los demás los pueden percibir como distantes y reservados.

- Analíticos: Su cabeza los manda. Examinan las situaciones y piensan profundamente en sus planes antes de tomar acción. Se concentran más en el pensamiento que en la acción, y en los hechos más que en los sentimientos. Son muy objetivos y rara vez permiten que las reacciones emocionales, los antojos o los impulsos los saquen de quicio.
- Muy intuitivos: Debido a que siempre están coleccionando y procesando información, las personas «C» alta son capaces de entender a las personas y a las situaciones en forma precisa, con una intuición basada en la lógica.
- Hacen las cosas de la «manera correcta»: Con su inclinación analítica, estos individuos llegan a la conclusión de realizar diferentes procedimientos de la forma «correcta. Están seguros de que su manera de hacer las cosas es la mejor, ya sea que involucre organizar un portafolio de inversiones de un millón de dólares o cargar la lavadora de platos. Les es fácil discernir el bien del mal, pero tienden a tener dificultad en decidir entre dos cosas «buenas» o «correctas».

Los individuos que son «C» alta pueden ser cautelosos en cuanto a extenderle su amistad. Al principio, tal vez estén más preocupados por mantener la calidad del trabajo que se debe hacer que con los aspectos relacionales del mismo. Las personas y las amistades pueden ser muy importantes para las «C», aunque este no parezca ser el caso al principio.

Puesto que son reservados con las personas, las «C» altas necesitan mucho estímulo para hablar o actuar en público. Su estilo natural no los impulsa a tomar posiciones de liderazgo osadas. Esto no quiere decir que no lo puedan hacer; significa que mostrar liderazgo requiere más de su energía porque se están empujando a sí mismos fuera de su zona de comodidad.

Son más lentos en tomar decisiones porque quieren tomar la decisión «correcta». Se moverán con cautela y mucho cuidado, reúnen todos los datos y cuidan los pequeños detalles y todas las posibilidades. Sin embargo, una vez que toman la decisión, va a ser duradera.

Una característica interesante de las personas «C» alta es que a veces les cuesta dormirse. Necesitan hacer un esfuerzo especial para apagar su proceso mental una hora antes de irse a dormir, para no estar acostados en la cama analizando las muchas cosas que les pasan por la mente.

Una amiga que es una «C» alta me contó sobre la vez que cayó exhausta en la cama después de un día ocupadísimo. Su esposo le preguntó: «¿Qué vas a hacer mañana?» A lo que ella respondió: «¿Es algo que necesitas saber o solo estás conversando? No quiero comenzar a pensar en el día de mañana sino lo tengo que hacer».

El esposo le dijo: «Solo te estaba hablando. No tengo que saberlo». Pero ya era demasiado tarde. Su mente estaba otra vez funcionando y le costó dormirse.

Los puntos más fuertes de las personas «C» alta son su exactitud, responsabilidad, independencia, organización y que completan lo que comienzan. Sus puntos más débiles son sus tendencias a ser quisquillosos, críticos y demasiado cautelosos.

Una señora me dijo que a su esposo, que era una «C» alta, le costó un año decidirse a comprar un par de zapatos de vestir. Ella estaba preocupada porque ahora él estaba interesado en un automóvil nuevo. «Si los zapatos le tomaron un año —dijo ella—, creo que el automóvil estará en nuestro garaje cuando el cometa Halley pase de nuevo».

Un ejemplo bíblico

Cuando Dios quiso poner su ley en piedra, buscó a una «C» alta, Moisés, para que en forma precisa la escribiera y proclamara a la nación de Israel. Cuando usted considera el informe histórico detallado que aparece registrado en los primeros cinco libros de la Biblia, así como también la cantidad enorme de leyes (lea el libro de Levítico para refrescarle la memoria), se hace claro que era necesario que alguien con una mente analítica y organizada registrara y preservara con esmero las leyes de Dios.

La forma en que Dios consiguió la atención de Moisés fue diferente de la manera que lo hizo con Pablo. En el camino a Damasco,

Dios usó el enfrentamiento directo, llevando a Pablo a sus rodillas con una luz que lo dejó ciego. Con Moisés, Dios usó una luz, una luz pequeña que titilaba en una montaña. De acuerdo con la manera característica de una «C» alta, a Moisés se le despertó la curiosidad y fue a investigar.

En Éxodo 3, Dios explica en detalle (justamente lo que una «C» alta querría escuchar), sus planes para los cautivos judíos. Él le dijo a Moisés por qué estaba tomando acción (versículo 7), le dio a Moisés una descripción de su plan (versículo 8), y le dijo a Moisés la función que desempeñaría en ese plan (versículo 10). Dios le explicó los detalles específicos en cuanto a quién, qué, por qué y cómo Él libraría a su pueblo.

Moisés le hizo muchas preguntas en cuanto a la tarea que iba a realizar, y Dios le contestó pacientemente cada una de ellas. Pero Moisés necesitaba confirmación especial de que todo iría de acuerdo con el plan. El capítulo 4 de Éxodo nos muestra cómo Dios usó tres ilustraciones para verificar su mensaje a Moisés:

- Convirtió un cayado en una serpiente;
- Hizo que la mano sana de Moisés se volviera leprosa, y luego la sanó;
- Convirtió en sangre el agua del Nilo.

A Moisés se le estaban acabando las excusas, pero él no quería enfrentar a Faraón solo. Así que Moisés (al estilo de una «C» alta) ofreció otra razón por la que él no era el hombre para esa tarea: No hablaba bien en público. Dios comenzó a perder la paciencia, pero permitió que Moisés llevara consigo a su hermano Aarón para que fuera su voz.

Basado en la historia de Moisés y en las otras historias de personajes bíblicos que usé en los tres capítulos anteriores, podemos ver cómo Dios trató con cada persona de maneras diferentes. Sus métodos parecen coincidir con las motivaciones y las necesidades del estilo de comportamiento de cada individuo. Este modelo coincide con la manera en que Él nos dirige a cada uno de nosotros.

La madre o el padre disciplinario

La responsabilidad principal de los padres disciplinarios es que sus hijos sean personas de bien. Tratan de enseñarles la importancia de hacer lo mejor que pueden y de que se esfuercen por alcanzar la excelencia, cualidades que son realmente admirables. Quieren que sus hijos alcancen su máximo potencial y que sean competentes en todo lo que escogen hacer.

Los padres y las madres «C» animan a sus hijos a investigar, estudiar y les formulan preguntas sobre cualquier cosa que les interesa a ellos. Les agrada discutir las cosas con sus hijos a un nivel más profundo y más analítico; explicarles sus razones para tomar decisiones y los animan a que piensen antes de actuar.

Tienden a ser buenos oidores cuando sus hijos o su cónyuge les proveen información que puede usarse en el proceso de tomar decisiones.

Por lo general no se enojan con rapidez, y pueden ser padres y madres muy eficaces en un ambiente pacífico. Debido a su necesidad de explicar las cosas, tienden a usar un estilo de «sermón» para criar a sus hijos y tal vez provean más detalles que algunos de los otros estilos («I» y «D») quisieran escuchar.

Es posible que se perciban como no emotivos y distantes debido a su naturaleza más reservada. Son personas privadas y no expresan con facilidad sus pensamientos más íntimos en cuanto a una situación.

Mi esposa Karen es una «C»/«S» alta. Es mucho más cautelosa que yo, y eso provee un buen equilibrio en nuestro hogar. Cuando salimos de vacaciones, ella hace una larga lista de todo lo que necesitamos. Comienza a empacar las cosas con un viaje al supermercado a comprar todos los productos de higiene que necesitamos en «cantidades de viaje». Cada una de las maletas y bolsos que vamos a llevar estará abierta a lo largo de una de las paredes de nuestro dormitorio. A veces le digo «la apiladora», porque apila la ropa de cada miembro de la familia en un montón separado y luego transfiere la ropa a las maletas.

Cuando hace planes para un viaje, constantemente procesa todo lo que se necesita para que sea un buen viaje, dónde nos quedaremos, qué ropa usaremos para cada acontecimiento al que tal vez asistamos, y remedios por las dudas. Ella parece disfrutar cuando organiza todo en un plan que funciona. Algunas veces pienso que empaca demasiadas cosas, pero muy rara vez deja de llevar algo que necesitamos.

Aun nuestros hijos entienden su estilo. Una vez la maestra de Chad le pidió que le contara en cuanto a su familia y a sí mismo. Lo primero que dijo fue: «Bueno, a mi mamá le gusta hacer planes. Ella piensa a fondo en todo lo que hace. A mí no me gusta hacer planes. Yo tomo las cosas como vienen».

A través de los años he llegado a apreciar y valorar la naturaleza más cautelosa de Karen. Una vez yo iba a comprar un automóvil usado. Quería un Honda modelo *Prelude* y encontré una belleza con poco kilometraje. Cuando llegué a casa y le conté a Karen, ella me dijo: «¡Qué bueno! Estoy contenta de que encontraste lo que buscabas. Lo único que me gustaría que hicieras es que lo lleves a un mecánico para que lo revise. Es posible que sea un automóvil chocado».

Yo quería ese vehículo, y no quería perder tiempo con todas esas molestias, así que le dije: «Bueno, el vendedor de automóviles usados me dijo que ese automóvil no había sido chocado, además, lo miré bien y todo está en perfecto estado.

Ella me dijo: «No te dije que no quiero que compres el automóvil. Simplemente me sentiría mejor si lo hicieras revisar». Finalmente estuve de acuerdo y lo llevé a mi mecánico. Para ir al grano, el automóvil había sido chocado. El mecánico me mostró que habían tomado mucho cuidado para ocultar las evidencias del choque.

El hombre se expresó así: «Señor Boyd, sé que le gusta este vehículo, pero no se lo compraría a mi hija. No creo que sea seguro y le va a gastar mucho los neumáticos delanteros».

No tengo duda alguna; Dios sabía que necesitábamos la naturaleza cuidadosa y concienzuda de Karen en nuestra familia.

A los padres de estilo disciplinario no les gustan los conflictos ni las confrontaciones. Tratan de rectificar el comportamiento por medio de la lógica y el razonamiento. Prefieren la disciplina en la forma de «tiempos fuera de actividades» y «restricciones», los que alentarán a sus hijos a pensar en lo que han hecho.

Los padres disciplinarios entienden que el amor debe colocar límites, y tienden a enfocarse más en el lado de los límites de las cosas.

Cómo presenta Dios el estilo «C»

Aunque Dios es un Dios de misericordia y compasión, también corrige y disciplina a sus hijos cuando viven en forma independiente de Él. Su corrección proviene siempre de un corazón de amor, porque Él sabe y quiere lo que en última instancia es mejor para nosotros: que andemos por sus caminos y que sigamos su verdad. Hebreos 12:6-11 lo expresa de esta manera:

> Porque el Señor disciplina a los que ama, y azota a todo el que recibe como hijo. Lo que soportan es para su disciplina, pues Dios los está tratando como a hijos. ¿Qué hijo hay a quien el padre no disciplina? Si a ustedes se les deja sin la disciplina que todos reciben, entonces son bastardos y no hijos legítimos. Después de todo, aunque nuestros padres humanos nos disciplinaban, los respetábamos. ¿No hemos de someternos, con mayor razón, al Padre de los espíritus, para que vivamos? En efecto, nuestros padres nos disciplinaban por un breve tiempo, como mejor les parecía; pero Dios lo hace para nuestro bien, a fin de que participemos de su santidad. Ciertamente, ninguna disciplina, en el momento de recibirla, parece agradable, sino más bien penosa; sin embargo, después produce una cosecha de justicia y paz para quienes han sido entrenados por ella.

Nuestra respuesta al estilo disciplinario de nuestro Padre celestial debe ser una de confesión en aquellos momentos en que hemos estado equivocados o nos hemos comportado en forma insensata. Dios también desea que seamos abiertos y dóciles a las verdades de su Palabra.

En 2 Timoteo 3:16, 17 se nos dice: «Toda la Escritura es inspirada por Dios y útil para enseñar, para reprender, para corregir y para instruir en justicia, a fin de que el siervo de Dios esté enteramente capacitado para toda buena obra». La Biblia nos enseña (nos muestra la manera correcta de vivir en relación con Dios y los demás); reprende (nos señala dónde nos salimos del camino o nos desviaos de sus verdades), nos corrige (nos dice exactamente cómo volver al camino), y nos instruye en cuanto a la manera correcta de vivir, nos muestra cómo evitar los mismos errores y nos guía a vivir sabiamente. Nuestro

Padre no podría habernos dado un Libro más completo y que nos ayudara más que la Biblia.

Padres y Madres «C» Ineficaces

Cuando los padres y las madres estilo «C» permiten que su temor de cometer errores gobierne sus acciones, es posible que se vuelvan extremadamente perfeccionistas.

Temor de

Disciplinario ⟶ **Perfeccionista**

comportamiento irracional,

de cometer errores.

Los padres perfeccionistas quieren que las cosas se hagan de la manera «correcta» y no van a tolerar ninguna desviación de eso. Tratan de mantener control haciendo que sus hijos cumplan con sus normas.

Tienden a basarse en el cumplimiento en cuanto a su enfoque de criar a los hijos debido a que tienen normas tan altas. Para ellos un buen padre o madre es aquel cuyos hijos se conforman a un diseño prescrito.

Tienden a ser serios, controlados, metódicos y orientados hacia las reglas. Tal vez les resulte difícil congeniar con sus hijos en el plano emocional. Tal vez teman la intimidad en general, y se encuentren apartándose de una relación estrecha con sus hijos.

Una madre perfeccionista me dijo que ella no creía que sus hijos necesitaran que les dijera que los amaba. «Yo no necesito decirles a mis hijos que los amo. Lo deberían saber por lo que hago por ellos».

Estos padres y madres temen equivocarse, y peor de todo, tienen miedo de parecer un padre o una madre «incompetente». Al igual que el estilo autocrático, el padre o la madre perfeccionista tal vez encuentre difícil admitir cuando se ha equivocado.

Debido a este deseo de hacer las cosas como se deben hacer, aun cuando un niño hace algo «correctamente», el padre o la madre perfeccionista encontrará algo que puede mejorarse la próxima vez. El niño escuchará: «Hiciste un buen trabajo, *pero...*»

A la larga, este sentimiento de nunca estar a la altura de los acontecimientos puede dañar el amor propio de un niño, puesto que puede pensar: «No tiene sentido que siga tratando. De todas formas, nunca lo voy a poder hacer lo suficientemente bien».

El enfoque del padre o la madre perfeccionista es claro: «Hazlo de la forma correcta o no lo hagas».

Lo que necesita el padre o la madre perfeccionista

Para fortalecer sus habilidades para criar a los hijos, los padres y las madres disciplinarios necesitan aplicar algunos de los puntos fuertes de los estilos interactivos («I») y que apoyan. Evitarán volverse perfeccionistas y se divertirán más con sus hijos cuando recuerden ver a sus hijos como personas más bien que concentrarse en su actuación, y no tomando todas las cosas con tanta seriedad.

- En cuanto a tener la razón: Acepte el hecho de que nadie tiene la razón todas las veces, y eso está bien. El perfeccionismo llevado al extremo puede causar que sus hijos sientan que cualquier intento de complacerlo nunca será suficiente. Está bien cometer un error de vez en cuando. Y si usted tiene un hijo a quien le gusta experimentar con maneras diferentes de hacer las cosas, permítale expresar esa creatividad.
- En cuanto al conflicto: Enfrente el conflicto más bien que evitarlo.
- En cuanto a la comunicación: Hay varias cosas que debe tener presente aquí: 1) Sea más franco y verbalice sus sentimientos con más frecuencia. No espere que los miembros de su familia le lean la mente. 2) Cuídese de no analizar y explicar las cosas en extremo. No toda la gente disfruta y necesita la misma cantidad de detalles y meditación que necesita usted. 3) También tenga cuidado con las preguntas. A veces, demasiadas preguntas se perciben más como una interrogación que como una conversación. 4) Exprese sus críticas o desaprobación de una manera considerada.
- En cuanto a la prioridad: Cuide que las tareas necesarias, los trabajos en el hogar y los proyectos no se vuelvan más importantes que sus hijos. Pasar el día de acuerdo con un plan es

importante, pero los planes no deben tener prioridad sobre su relación con sus hijos. Como diría una «I» alta: «Tómalo con calma». No tomen todas las cosas tan en serio.

- En cuanto al paso: Tranquilícese y sea más espontáneo en su trato con los otros miembros de la familia.
- En cuanto a su punto fuerte de analizar las cosas: Algunas veces usted se puede preocupar tanto de los árboles que no ve el bosque. Tenga cuidado de no dejarse atascar con la «parálisis del análisis».

Hace poco una madre que es una «C» alta me dijo que siempre lucha con su tendencia de corregir demasiado y ser perfeccionista. «Nunca me di cuenta de esto hasta que estaba enseñando a cocinar a mi hija», me dijo. «Ana es una «I» alta, y le encanta cocinar. Pero no quiere seguir las instrucciones de las recetas. A ella le gusta tomar un enfoque más creativo y experimentar con ellas. Me da mucho trabajo no intervenir y decirle: "Hazlo así"».

El hijo o la hija concienzudo

Los hijos y las hijas «C» son pensadores analíticos. Toman la vida con seriedad. Cualquier cosa que hagan, quieren que refleje sus altas normas.

Su sentido de organización comienza temprano en la vida. Apilan sus juguetes, los colocan en línea, trabajan con rompecabezas y realizan los proyectos con precisión. Por lo general tienen un lugar para cada cosa y cada cosa está en su lugar.

El otro día me fijé en el armario de mi hija Kristi cuando fui a colgar algunas prendas que habían sido planchadas. Al mirar, me di cuenta de que cada uno de sus estantes tenía una cierta clase de juguete: muñecas en uno, animales de peluche en otro y figuras de porcelana en otro. Cada uno de ellos estaba perfectamente arreglado.

A Kristi le encanta mantener todo en orden en su dormitorio. Levanta los muebles y coloca todo lo que está en el suelo sobre su cama para que su madre y yo podamos pasar la aspiradora debajo de todo.

Los hijos «C» tienden a ser perfeccionistas y no hacen nada sin una buena posibilidad de éxito. Cuando Kristi estaba comenzando a aprender a escribir, su maestra le dio la asignación de escribirles una carta a los soldados que estaban peleando en la Guerra del Golfo. Primero, Kristi me dictó lo que quería decir. Luego yo lo escribí en una hoja de papel para que ella lo pudiera copiar y estuviera «correcto». (Estas fueron sus instrucciones, no las mías.) Luego ella comenzó a escribir, letra por letra, tachando mis letras a medida que avanzaba. Trabajó con mucho cuidado hasta que completó toda la tarea.

Es posible que los hijos que son «C» alta luchen con asuntos relacionados con su amor propio si no alcanzan sus propias normas altas. Su meta es hacer las cosas correctamente. Tienden a preferir hacer las cosas por sí mismos. De esa forma, se aseguran de que las cosas se hacen de acuerdo con sus normas.

Algunas veces su orientación hacia los detalles se puede manifestar en el arte. Una madre describió a su hija con estas palabras: «Me di cuenta cuando mi hija era pequeña, que si dibujaba una casa y había cuatro escalones en la entrada, habría cuatro escalones en su dibujo. Si le faltaba una bisagra a una de las ventanas, así sería en el dibujo».

Estos niños observan mucho, se dan cuenta de todo lo que sucede a su alrededor y procesan y evalúan lo que experimentan. Es posible que tengan una naturaleza sensible, artística o musical. Tienden a tener un acopio de información sorprendente. Esta habilidad de «saber» los puede hacer intolerantes de los adultos que no saben ciertas cosas. Tal vez comiencen a hablar temprano y aprendan a leer antes que muchos otros niños.

Es posible que no toleren a los adultos que no son lógicos y no se ajustan a los hechos. También se pueden mostrar demasiado ansiosos de ayudar a otros niños a que aprendan la manera «correcta» de hacer las cosas. Escuché la historia de un niño del jardín de infantes que notó que algunos de sus compañeros no colocaban sus galletitas sobre una servilleta a la hora de la merienda. Él corrigió a uno de ellos, y la maestra lo alabó. Así que durante las próximas semanas él se designó a sí mismo supervisor de las meriendas. Cuando la maestra tuvo una conferencia con los padres de este niño, les dijo: «Me gustaría ayudar a Juan para que no fuera el maestro durante la hora de la merienda».

Los niños que son «C» alta tienden a evitar la agresión interpersonal. A menudo van a estar de acuerdo, antes que pelear sobre algo. Con rapidez aprenden a llevarse bien con los demás porque averiguan qué es lo que se espera y tratan con ahínco de suplir esas expectativas. Tienden a parecer no exigentes y no siempre comparten sus sentimientos. Sus demandas tal vez se expresen en forma indirecta (más bien que directa).

Tienden a ser muy introspectivos. Una madre que es una «I» alta vino a mí llorando después de uno de mis seminarios sobre el diseño de los niños. Me dijo: «Por fin entiendo a mi hija. Ella es una «C» alta, pero me molesta que se vea tan triste y seria. El otro día cuando llegó de la escuela me dijo: "Siento que soy la única persona en la escuela que gusta de mí". Me destrozó el corazón. Quiero que ella sea feliz. ¿Qué puedo hacer?»

Le dije que lo primero que tenía que hacer era dejar que esta hija fuera una «C». Ella necesitaba dejarle saber a esta niña que está bien estar preocupado en cuanto a las cosas y luego lentamente tratar de hacerla expresar sus sentimientos. Esta madre también debería tener cuidado en cuanto a cómo se siente su hija algunas veces cuando quiere hablar, y no presionarla a hablar cuando la hija quiere mantener sus sentimientos en privado.

También le dije que si ella hacía mucho aspaviento en cuanto a preocuparse, su hija se angustiaría en cuanto a la preocupación. La hija se metería en un círculo de preocuparse lo cual la llevaría a ser más introspectiva.

Los hijos concienzudos quieren que los demás los vean como competentes y capaces. Como quieren hacer lo «correcto», tienen la tendencia a ser demasiado analíticos. A menudo un adulto de un estilo de personalidad diferente dirá: «¿Sabes cuál es tu problema? Piensas demasiado».

Con su fuerte condición interior, a los niños que son «C» alta, tal vez les resulte difícil recibir críticas, especialmente si piensan que no son críticas justas. En un caso, una niña pequeña estaba regresando a casa de la escuela en bicicleta, y una construcción en el camino le impidió tomar la ruta que su madre quería que tomara. Su madre estaba afuera cuando la niña llegó a la casa y la regañó por desobedecer las reglas.

La hija rompió en llanto, algo típico de una «C» alta, y como no pudo expresar sus emociones enseguida, se fue llorando. Una vez que pudo controlar sus emociones, le explicó a su mamá lo que había pasado.

Los hijos que son «C» alta quieren razones por las cosas que se espera que hagan. Sus «por qué» pueden llegar a irritar a los padres. Tienen mentes curiosas, así que necesitan oportunidades de experimentar, averiguar y obtener respuestas a sus preguntas «¿y qué si...?», y «¿qué sucedería si...?»

Trabajando con un niño o niña que es «C»

- Con cuidado traiga al niño fuera de su caparazón, con esta clase de preguntas: «¿Qué estás pensando o sintiendo?» Sin embargo, tenga cuidado cuando hace esto para no invadir su vida privada.
- Dele tiempo para que realice un trabajo de calidad. No lo presione o apure. Cuando aplaza una tarea, es porque la quiere hacer en forma «correcta».
- Ayúdele a desarrollar tolerancia hacia la imperfección.
- Concéntrese en quién es, no solo en lo que hace. Afirme su alto valor como persona sin tener en cuenta lo que hace.
- Cumpla sus promesas y no descuide los detalles clave.
- Diríjase a este niño de manera directa, sin rodeos. No se salga del tema.
- Si no está de acuerdo con él, explique con claridad por qué. Siempre conteste sus preguntas «por qué». Dedíquele tiempo a sus preguntas y dele explicaciones profundas, detalladas.
- Dele tiempo para que esté solo y «cargue sus baterías». Necesita «filtrar» y pensar. Dele tiempo para que se sienta desilusionado cuando no ha logrado sus propias expectativas altas antes de tratar de animarlo.
- Apoye su enfoque prudente y analítico. Nunca actúa o habla sin pensar mucho antes.

- Muestre aprecio por la calidad de su trabajo. Sea específico en su alabanza. Tal vez no se sienta animado con cumplidos generales como «¡Buen trabajo!», o «¡Fantástico!», o «¡Tu solo musical fue notable!» Describa lo que fue bueno: «Me doy cuenta de que practicaste mucho para lograr que esa nota de tu solo fuera perfecta».
- No le diga que sus preocupaciones, preguntas o problemas son tontos o no son importantes.
- No lo apure para tomar decisiones.
- No sea impreciso de lo que se espera de cualquiera de ustedes.
- No lo amenace con una confrontación en tono de voz alto y enojado. Él se va a retraer y puede parecer que ceda bajo la alta presión, pero muy dentro de sí está planeando su siguiente turno.
- No le ofrezca trucos para incentivarlo a hacer algo. Este niño puede darse cuenta de si lo están manipulando.
- No sea demasiado emotivo cuando trata de convencerlo. Manténgase en los hechos y en recursos confiables.
- Permítale que piense antes que usted espere que le responda.
- Evite interrumpirlo cuando está trabajando.
- Dele rutinas que debe seguir.
- Antes que usted espere que se vaya a dormir, dele tiempo para que «apague su cerebro». Para algunos, el leer les ayuda. Es posible que deba ayudarlo a pensar en lo que ha sucedido en el día. Ayúdelo a examinar las cosas en que falló y las cosas en las que tuvo éxito, y que tome decisiones, para que no permanezca en la cama sin poder dormirse.
- Tenga cuidado de no establecer normas que son demasiado altas. Las propias normas personales de este niño ya son lo suficientemente altas como para que usted le imponga demasiado peso con las de usted.

¿Es usted una «C» alta?

A continuación presento una lista de las tendencias características de un individuo que es una «C» alta. Subraye las declaraciones que siente que lo describen a usted.

Me gusta enfocarme en hacer las cosas bien.
Soy bueno para organizar mis asuntos.
La exactitud es importante para mí.
Tengo un gran respeto por las reglas y la autoridad.
Tengo normas muy altas para mí mismo, a veces demasiado altas.
La gente me ve como formal, reservado y serio.
Algunas veces no es fácil complacerme.
Necesito todos los hechos y la información que se puede obtener antes de tomar una decisión.
No me gusta cometer errores.
Hago buenos planes, tengo la capacidad de separar las tareas grandes en partes pequeñas.
Analizo las cosas a fondo mentalmente.
Bajo presión, tiendo a evitar los enfrentamientos.
Algunas personas me ven como lento; yo prefiero usar la palabra *metódico.*
Mantengo mis emociones adentro, y solo las expreso en situaciones cuando me siento cómodo.
Por lo general soy discreto, diplomático y cortés.

CAPÍTULO OCHO

Convirtiéndose en estudiante de su hijo

Existe un peligro cuando uno lee un libro como este. Es el mismo peligro intrínseco en todos los libros sobre la crianza de los hijos. En mi propia biblioteca, tengo por lo menos cincuenta libros sobre la crianza de los hijos. Al igual que usted, yo también quiero lo mejor para mis hijos, y trato de aprovechar libros, audiocasetes y seminarios para aprender más. El peligro es cuando me convierto en un estudiante de técnicas para criar a los hijos más bien que en un estudiante de mis hijos.

Más que ninguna otra cosa, el mensaje de este libro es que usted necesita estudiar a sus hijos. El modelo DISC simplemente le proporciona un lenguaje para descubrir y discutir el estilo de comportamiento de su hijo, para que pueda valorizar y apreciar ese estilo más bien que verlo como una amenaza o una deficiencia.

Después de haber leído los últimos cuatro capítulos, es probable que tenga una buena idea de su propio estilo de comportamiento primario. Es de esperarse que también se esté comenzando a formular algunas ideas tanto si su hijo es «D» (Dominante), «I» (Influyente), «S» (Estable, sensible), o «C» (Concienzudo).

Algunos padres no tienen problema para determinar cuál estilo de comportamiento primario describe a sus hijos. Usted los escucha hacer comentarios tales como los siguientes:

«Ella nunca nos ha dado problema alguno. Era un bebé tan fácil de criar».

«Él nunca se ha podido sentar tranquilo. Salta a todo con los dos pies, incluyendo los charcos de barro».

«Desde que prácticamente nació, yo sabía que este hijo iba a ser abogado. Discute sobre cualquier cosa».

«Nuestros dos hijos son completamente opuestos. Nuestra hija se sienta por horas en su cuarto jugando con sus muñecas. El otro hijo cree que estar solo es una forma de castigo».

Pero esto no quiere decir que el estilo de comportamiento de una persona va a ser obvio desde el nacimiento. Algunos de ustedes tal vez no lo puedan discernir hasta que el niño tenga seis u ocho años, o inclusive mayor.

Existen varias razones por las cuales tal vez usted tenga dificultad en determinar el estilo de comportamiento de su hijo:

Su hijo está «en proceso». A medida que se mueve a través de varios procesos de desarrollo, experimenta con varios comportamientos diferentes para ver cómo le resultan. El niño quiere ver si lo que hace concuerda con la forma en que piensa y cómo se siente. Como resultado, su hijo va a repetir comportamientos que le resultan cómodos, y va a evitar aquellos que le causan problemas o que no se sienten naturales. De esta forma, él desarrolla patrones de comportamiento de acuerdo con lo que le resulta bien y con lo que no. Esto puede producir confusión en los padres que están tratando de determinar cómo es su hijo.

A medida que su hijo se hace mayor, lo va a ver en menos circunstancias. A medida que crece, va a pasar más tiempo con sus amigos y en la escuela, y lejos de usted. Es posible que se comporte diferente en los diferentes medios. Tal vez sienta la necesidad de adaptar su estilo de comportamiento de acuerdo con las diferentes situaciones, o puede ser que los diferentes aspectos de su estilo salgan a la superficie con diferentes grupos de personas.

Como hijo único, crecí como un niño fácil y tranquilo en el hogar. En la secundaria, sin embargo, toqué en una banda de «rock» y era el payaso de la clase. Actuaba en forma cómica frente a toda la clase. Cuando teníamos una maestra sustituta, yo fingía ser un estudiante de intercambio de España.

Cuando los informes comenzaron a llegar a mi casa en cuanto a mi comportamiento en la secundaria, mis padres no lo podían creer. «¿Quién? ¿Nuestro hijo hizo eso?» Obviamente, mi estilo en «mi casa» era diferente de mi estilo en «la secundaria». Cuando estaba en mi hogar adaptaba mi comportamiento para ser obediente a mis padres.

Es posible que esté demasiado cerca de su hijo para verlo en forma objetiva. Tal vez todavía no sea consciente de cómo su propio estilo de comportamiento afecta sus propias opiniones. Tal vez pasa por alto partes importantes de la personalidad de su hijo porque sus esperanzas, sueños y temores alteran en forma favorable su percepción.

Su hijo es una combinación compleja de varios estilos de comportamiento. Él es una mezcla de los cuatro estilos DISC en intensidades variables. La mayoría de las personas tienen un estilo primario DISC, pero por lo general tienen puntaje alto en una o dos de las otras categorías. Así que evite poner a su hijo en una sola categoría.

Esto sucedió con mi hijo Chad. Nosotros sabíamos que él era una «D» alta, pero por bastante tiempo no nos dimos cuenta del hecho de que también tenía puntaje alto en la categoría «I». Karen y yo somos inclinados a las tareas, así que tal vez estábamos leyendo nuestro propio comportamiento en Chad más de lo que lo deberíamos haber hecho.

Entonces comenzamos a notar un lado nuevo de Chad al que habíamos estado ciegos. Él podía acercarse a un grupo de muchachos que no conocía, y comenzar a hablarles enseguida. Nos dimos cuenta de que su tendencia a interrumpirnos y preguntar sobre otros asuntos, mientras lo estábamos ayudando con sus tareas, no era siempre un intento de controlarnos, sino que algunas veces era un sincero deseo de hablar. Por no decir más, eso cambió radicalmente nuestra percepción de Chad.

¿Qué es lo que estoy tratando de decir? No encierre a su hijo dentro de ciertas formas y piense que ya tiene todo resuelto. El propósito de esta información es proveerle una herramienta que le puede ayudar a descubrir y alentar los puntos fuertes singulares de su hijo a medida que crece y madura. Nuestra meta es ayudarle a que su hijo pueda descubrir su «estilo» de vida, para que cuando llegue a la adultez pueda mantenerse en el curso para el cual fue creado.

Pasos para estudiar a su hijo

A medida que comienza su curso de estudio, he aquí algunas sugerencias:

1. Observe a su hijo en tantas situaciones diferentes como le sea posible. Fíjese en patrones de comportamiento. Obsérvelo mientras juega en el patio del colegio o en el parque. ¿Cómo se relaciona con otros niños y con los adultos? ¿Cómo actúa cuando conoce a gente nueva? ¿Qué le gusta hacer para descansar? ¿Qué le interesa? ¿Qué tipos de proyectos son los que le gustan? ¿Qué tipo de imaginación despliega?

Cuando observa a su hijo, no busque comportamientos que puede dirigir o corregir. Simplemente observe. Si usted es un padre o madre orientado hacia las tareas («D» o «C), ¡esto será un desafío!

2. Pídales opiniones a otras personas que ven a su hijo en situaciones diferentes. Hable con el padre y la madre del amigo de su hijo, y con sus maestros. Pregúnteles a sus familiares qué tipos de comportamiento observan en su hijo. Asegúrese de escuchar con una mente abierta. Si quiere estudiar a su hijo, debe aceptar la posibilidad de que tal vez no encaje en absoluto en la imagen previa que usted tiene de él.

3. Saque su mejor conjetura. Forme una hipótesis de la información que obtiene. Luego observe y espere. ¿Es el comportamiento que usualmente ve consecuente con lo que sabe en cuanto al estilo o estilos DISC? ¿En qué es lo mismo? ¿En qué es diferente? ¿Cómo ve a su hijo su maestro? Pídale al maestro que complete una copia del formulario titulado «inventario del estilo de comportamiento del niño» que se encuentra al final de este capítulo, y compárelo con sus percepciones. ¿En qué se parecen sus percepciones? ¿En qué son diferentes?

4. Observe si existen patrones secundarios. Lea con cuidado las descripciones de estilo de comportamiento para ver qué es lo que concuerda con su hijo. Es posible que vea que tiene un estilo dominante o primario y uno secundario.

5. Esté dispuesto a modificar las percepciones que tiene sobre su hijo. Algo es seguro: su hijo está cambiando y creciendo. Permítale que llegue a ser, no trate de hacerlo *ser.* Nunca trate de moldear a su hijo para que encaje dentro de cierto estilo. Use el modelo DISC para entender y apreciar la forma diferente en que Dios ha creado a las personas. Úselo para apoyar y animar el crecimiento de acuerdo con las inclinaciones de su hijo, pero tenga cuidado de no encerrarlo dentro de cierta forma de ser.

6. *Escuche a su cónyuge.* No es inusual que el padre y la madre vean al mismo hijo o hija en forma diferente. ¿Por qué? Porque sus interacciones con ese hijo o hija pueden ser completamente diferentes.

Un vicepresidente de una corporación veía a su hijo como una «D» mientras que su esposa lo veía como una «S». La interacción del padre estaba limitada a las noches y a los fines de semana, cuando había tareas que realizar. La relación de ellos era orientada hacia las metas (había cosas que hacer y lugares adonde ir), así que él veía a su hijo en esa luz. Su esposa, que era ama de casa, se relacionaba con su hijo a un nivel mucho más personal. Lo veía como más tranquilo, poco exigente. La conclusión de ellos fue que su hijo era una combinación de ambos estilos.

7. *Use un inventario como el del final de este capítulo.* Muchos padres y madres han encontrado que el «Inventario del estilo de comportamiento del niño» es una herramienta buena para aprender acerca de sus hijos. También les recomiendo que obtengan un ejemplar de los siguientes recursos: *Child Discovery Profile* o del *Teen Discovery Profile*[1] para ver cómo su hijo se ve a sí mismo. El usar perfiles e inventarios ayuda a comenzar a formarse una hipótesis de lo que puede ser el estilo de su hijo.

Una vez que usted tiene una idea en cuanto al estilo de comportamiento de su hijo, ¿cómo aplica este conocimiento a la crianza de él?

Buena pregunta. ¿La respuesta? Hágalo con mucho cuidado.

El Salmo 127:3 dice: «Los hijos son una herencia del SEÑOR, los frutos del vientre son una recompensa». Cada don ha sido designado por Dios como una creación única. Una vez que entiende este diseño único, usted puede trabajar dentro de ese marco para instruir a su hijo «en el camino correcto». Al hacerlo, ustedes se convierten en socios de Dios para que su hijo alcance el potencial máximo que Dios le ha dado.

En los próximos capítulos, les mostraré cómo lograrlo.

Nota: A medida que usted llena el siguiente inventario, por favor tenga presente un par de cosas:

1. La información DISC describe tendencias de comportamiento. Está diseñada a propósito como una generalización práctica de la manera en que las personas tienden a comportarse. No tiene la intención de dar un cuadro completo de la personalidad de alguien, o de encerrar a la gente dentro de categorías fijas.

2. Los científicos en comportamiento nos dicen que las personas son motivadas por dos impulsos básicos. Nuestras energías personales fluyen de nuestro instinto hacia las necesidades, y nuestro instinto hacia los valores. Este cuestionario se basa solamente en el comportamiento basado en los «instintos hacia las necesidades».

INVENTARIO DEL ESTILO DE COMPORTAMIENTO DEL NIÑO

Escriba aquí el nombre de su hijo o hija: ______________

Al pensar en su hijo o hija, catalogue de «más» (4) a «menos» (1) las características y el comportamiento que describen cómo ve a su hijo en cada grupo de las cuatro características que se presentan a continuación. (Nosotros usaremos el masculino, pero por favor, sustituya por el femenino, según sea apropiado para su caso.)

1

a.____ Este niño tiene una voluntad muy fuerte y es obstinado. Está determinado a obtener lo que quiere cuando lo quiere.

b.____ Nunca aminora la marcha. Quiere divertirse, aun cuando el tiempo de jugar ya ha pasado y es hora de calmarse.

c.____ Por lo general tiene un temperamento positivo. Ríe y sonríe más de lo que llora.

d.____ El primer contacto de este niño con extraños por lo general le causa que se aleje y se pegue a sus padres. Le cuesta aceptar a personas que no conoce. Al principio se retrae y se adapta muy lentamente.

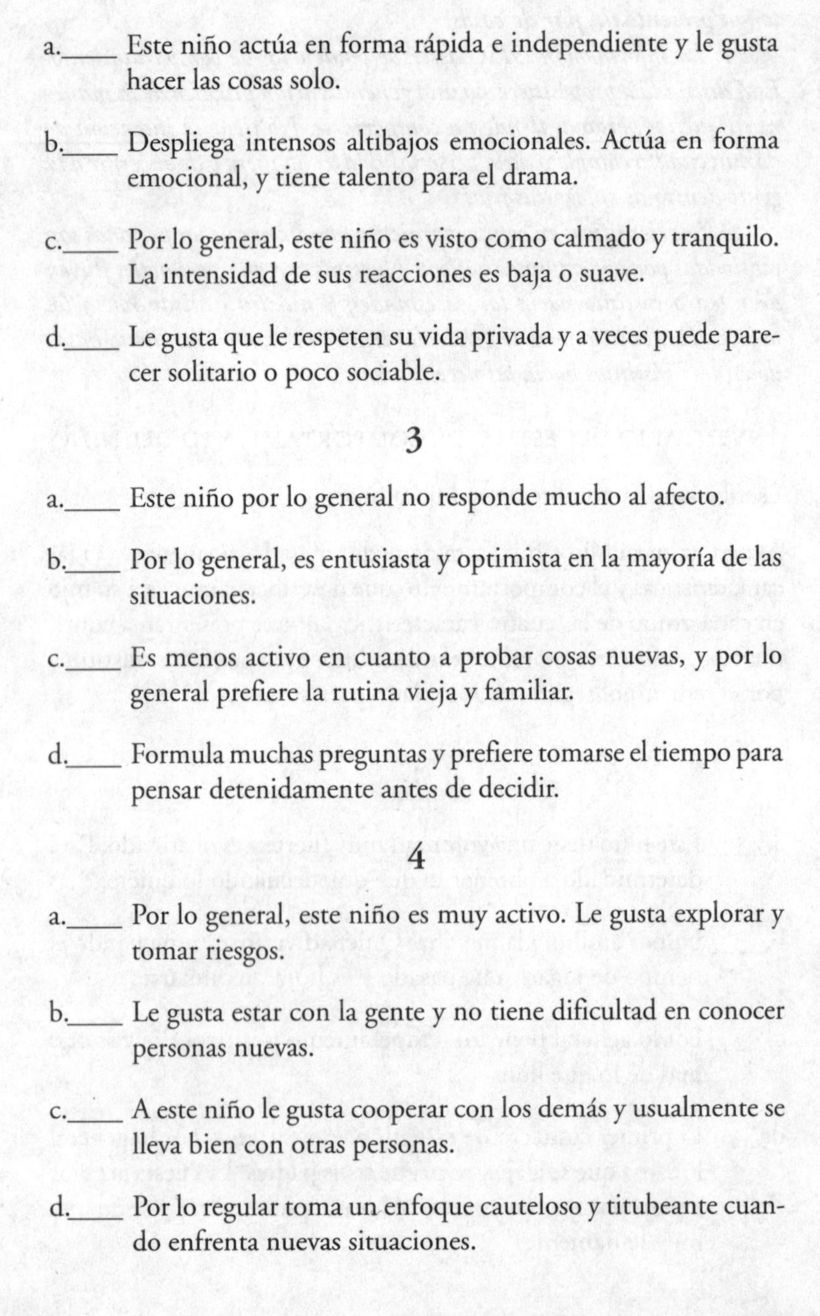

2

a.____ Este niño actúa en forma rápida e independiente y le gusta hacer las cosas solo.

b.____ Despliega intensos altibajos emocionales. Actúa en forma emocional, y tiene talento para el drama.

c.____ Por lo general, este niño es visto como calmado y tranquilo. La intensidad de sus reacciones es baja o suave.

d.____ Le gusta que le respeten su vida privada y a veces puede parecer solitario o poco sociable.

3

a.____ Este niño por lo general no responde mucho al afecto.

b.____ Por lo general, es entusiasta y optimista en la mayoría de las situaciones.

c.____ Es menos activo en cuanto a probar cosas nuevas, y por lo general prefiere la rutina vieja y familiar.

d.____ Formula muchas preguntas y prefiere tomarse el tiempo para pensar detenidamente antes de decidir.

4

a.____ Por lo general, este niño es muy activo. Le gusta explorar y tomar riesgos.

b.____ Le gusta estar con la gente y no tiene dificultad en conocer personas nuevas.

c.____ A este niño le gusta cooperar con los demás y usualmente se lleva bien con otras personas.

d.____ Por lo regular toma un enfoque cauteloso y titubeante cuando enfrenta nuevas situaciones.

5

a.____ Es difícil dirigir a este niño y es más selectivo en cuanto a quién sigue.

b.____ Se mueve de una actividad a otra, a menudo sin terminarlas.

c.____ Cede con facilidad cuando está bajo presión, y tal vez copie los comportamientos, reglas y gestos de los demás al punto de la exageración.

d.____ El nivel de actividad física de este niño usualmente parece bajo o moderado.

6

a.____ Este niño se enoja con facilidad y, por lo general, consigue lo que quiere.

b.____ Puede ser desorganizado, desordenado y tal vez olvidadizo cuando se trata de tareas.

c.____ Le cuesta aceptar los cambios repentinos. Puede ser obstinado en cuanto a querer mantener las cosas de la misma manera. Le gusta que las cosas permanezcan calmas y en paz.

d.____ El temperamento de este niño usualmente aparece como apacible así que su reacción inicial a circunstancias no favorables es calmada y controlada. Sus reacciones internas pueden ser mucho más fuertes.

7

a.____ Este niño es muy competitivo.

b.____ Parece importarle demasiado lo que están haciendo los demás.

c.____ No le gusta pelear y evita las confrontaciones.

d.____ Con frecuencia se muestra serio y/o triste.

8

a.____ Este niño dice lo que piensa y le dice lo que quiere. Puede ser muy franco y duro al decirle lo que quiere o lo que no le gusta.

b.____ Habla sin cesar. Le gusta contarle en cuanto a sus logros y sus amigos. Puede ser bastante manipulador en su habilidad de convencerlo a usted y a los demás para que hagan lo que él quiere.

c.____ Por lo general escucha más de lo que habla.

d.____ Formula muchas (y a menudo complejas) preguntas acerca de cosas específicas, y necesita muchas explicaciones detalladas.

Recuadro de anotación del puntaje

Transfiera el puntaje de cada uno de los ocho grupos de características al siguiente recuadro. Luego sume los totales de cada columna. La columna que tiene la anotación más alta refleja el estilo de comportamiento predominante de su hijo o hija.

1. a.________1. b. ________1. c. ________1. d. ________
2. a. ________2. b. ________2. c. ________2. d. ________
3. a. ________3. b. ________3. c. ________3. d. ________
4. a. ________4. b. ________4. c. ________4. d. ________
5. a. ________5. b. ________5. c. ________5. d. ________
6. a. ________6. b. ________6. c. ________6. d. ________
7. a. ________7. b. ________7. c. ________7. d. ________
8. a. ________8. b. ________8. c. ________8. d. ________

Total: a. ________b. ________c. ________d. ________

(a. = D;b. = I;c. = S;d. = C)

Para un estudio más profundo

Estudiar el comportamiento de sus hijos es una asignación diaria. Cada día presenta un sinnúmero de oportunidades y experiencias para aprender de sus hijos. Al observarlos atentamente y escucharlos notará esas pistas y señales que son críticas para entender quiénes son y para instruirlos en el camino que deben seguir.

He aquí algunas otras preguntas importantes para considerar:

- *¿Es el nivel de actividad de su hijo de paso rápido o de paso lento?*
- *¿El enfoque de su hijo es hacer cosas o estar con la gente?*
- *¿Con más frecuencia su hijo dice algo o formula preguntas?*
- *¿Cuál es la motivación de su hijo?*
- *¿Cuáles son los temores mayores de su hijo?*
- *¿Qué es lo que más frustra a su hijo?*
- *¿De qué habla su hijo en forma repetida?*
- *¿Qué actividades y comportamientos vuelven a reaparecer en forma consecuente?*

Convertirse en estudiante del comportamiento de su hijo significa hablar sobre lo que usted ve con sus hijos. Haga una práctica de formularles todos los días preguntas que ellos deben completar, tales como:

- ¿Qué fue lo que más te entusiasmó en cuanto a _________ (por ejemplo, construir la casa del árbol, que tu amigo te visitara)?
- ¿Qué fue lo que más te frustró hoy cuando ____________ (por ejemplo, Laura continuamente te quitaba los juguetes y te decía qué debías hacer)?
- ¿Qué fue lo que te hizo más feliz hoy en la escuela?
- ¿Qué fue lo más triste que sucedió?
- ¿Qué fue lo que más te gustó en cuanto a ______________? ¿Cuál es tu ____________________ favorita?

Preguntas como las anteriores no solo le ayudarán a entender mejor lo que su hijo está pensando, sintiendo y haciendo, sino que a través del tiempo le van a ayudar a ver patrones de conducta consecuentes.

NOTAS

1. Los formularios *Child Discovery Profile, Teen Discovery Profile* y *Child's Library of Classical Patterns* estón disponibles de los distribuidores independientes de los productos Carlson Learning Company. Estos perfiles le ayudarán a obtener información a fondo de la singular combinación de estilos DISC de sus hijos.

PARTE TRES

Construyendo

CAPÍTULO NUEVE

Cuadrando en la familia

Como muchos de ustedes, crecí mirando en la televisión programas conocidos que presentaban familias ideales. Todavía me gusta mirar esos programas, pero tengo una queja: ¡Todos parecen lo mismo!

No me estoy haciendo eco de los críticos de los medios de comunicación porque esos programas presentaban familias tradicionales, con un padre y una madre. Me alegra de que lo hicieran. Mi queja es, sin embargo, que tanto los padres y las madres como los hijos parecían actuar de la misma forma en todos los programas. Para decirlo en el lenguaje de este libro, todos mostraban el mismo estilo de comportamiento.

Piense un poco en esos programas familiares antiguos, sin importar a qué familia pertenecían, tanto padres y madres como hijos, eran personas firmes, previsibles, sinceras, tranquilas y orientadas hacia las personas. Eran individuos «S» alta. Las madres también demostraban una cantidad alta en el comportamiento «C»; sus hogares siempre estaban limpios y perfectamente organizados.

Todas las personas en esas familias parecían cuadrar, encajar en la familia como si fueran gotas de agua. Cuando experimentaban algún conflicto, o cuando los hijos se metían en problemas, con toda calma el padre y la madre estudiaban el problema y le encontraban una solución, todo en treinta minutos.

Ahora que Karen y yo somos padres, hemos notado que los modelos de padres y madres de aquellos antiguos programas no parecen darnos mucho resultado. No es que Karen no quiera imitar a aquellas amas de casa usando un vestido y collar de perlas para cocinar la cena. En el hogar de la familia Boyd, las disensiones familiares parecen ser mucho más intensas y difíciles de resolver.

La realidad es que cada hogar consiste de varias personas diferentes. A medida que ha trabajado con este libro es probable que haya descubierto que usted y su cónyuge tienen estilos de comportamiento diferentes, y que cada uno es diferente de alguna forma de cada uno de sus hijos. Cada uno de nosotros tenemos las cosas que nos gustan y las que nos disgustan. Tenemos diferentes emociones y diferentes niveles de energía. Algunos somos intensos, otros calmos y tranquilos. Vemos las cosas en forma diferente, y escuchamos cosas diferentes cuando oímos la misma historia.

En la revista *Family Circle*, la escritora Anne Cassidy lo expresa de esta manera:

> Las familias reales se parecen más a un puñado de copos de nieve. Cada persona es diferente, y algunos son más diferentes que otros. Pero eso no quiere decir que no se puedan llevar bien. Las familias felices se dan cuando existe respeto por la singularidad de cada uno de sus miembros.[1]

Sospecho que John Wilmot, el conde de Rochester, allá por el siglo XVII, sintió algo de la tensión de los diferentes estilos de comportamiento en su hogar cuando hizo la siguiente declaración: «Antes de casarme, tenía seis teorías en cuanto a la crianza de los hijos; ahora tengo seis hijos y ninguna teoría».

¿Hay algún padre o madre que no haya experimentado la realidad de esa declaración? Nada nos deja más sin creernos «sabelotodo» que tener hijos con los que debemos lidiar todos los días, especialmente cuando tenemos hijos con los que no nos podemos relacionar con facilidad o no los comprendemos bien.

¿En qué forma encaja usted?

Hasta esta altura, le he estado ayudando a entender su estilo de comportamiento y el de sus hijos. Le he dado algunas sugerencias en cuanto a cómo lidiar con los hijos «D», «I», «S» y «C».

Ahora ha llegado el momento de proporcionarle consejos prácticos sobre cómo criar a un hijo de acuerdo con el diseño que Dios le ha dado a ese hijo. La primera pregunta que debemos considerar es: ¿Cómo se acopla usted con sus hijos?

La doctora Stellas Chess y el doctor Alexander Thomas han investigado este tema a fondo. En su libro titulado *Know Your Child*, hablan sobre la relación padre-hijo, madre-hijo en cuanto al «buen encaje o encuadre».[2] Esto ocurre cuando cada miembro de una familia siente que él o ella armoniza bien con el resto de la familia. Cuando los padres y las madres ajustan sus demandas y expectativas para hacerlas compatibles con el temperamento, las habilidades y las tendencias del carácter de un hijo, este siente que encaja o encuadra. Si el niño encaja bien, esto va a hacer resaltar sus puntos fuertes y le ayudará a vencer sus limitaciones y puntos vulnerables naturales.

Por otra parte, cuando los padres tratan a todos los hijos de la misma forma, y no hacen ajustes en su estilo de liderazgo, lo que ocurre es que los hijos «encajan mal». Cuando esto sucede, ellos pueden experimentar tensiones excesivas, y eso puede poner en peligro su desarrollo saludable.

Un padre o una madre que es aventurero y activo, tal vez empuje y demande demasiado a un hijo quieto, pasivo y que le gusta estar en casa. Un padre o una madre demasiado cauteloso puede, sin necesidad alguna, restringir el estilo aventurero y que toma riesgos de un hijo muy activo.

Un padre que demanda perfección, es incapaz de darle a su hijo apoyo y amor incondicional, tal vez le nazca un hijo «S». Un hijo «I», que se distrae con facilidad, puede desarrollar un problema si sus padres insisten que se concentre en una tarea por un largo período sin tomarse un descanso. Un padre o una madre, a quien le gustan los cambios súbitos e inesperados, puede complicar las inseguridades de un hijo que necesita tiempo para aceptar un cambio.

Hijos diferentes, tipos de «encaje» diferentes

¿Encaja bien su estilo de criar a sus hijos con cada uno de ellos? Si usted tiene más de un hijo, tal vez ya haya descubierto que se lleva bien con uno de ellos pero no con otro. Esto es algo común.

Natán fue el primer hijo de Cristina, y era lo que podríamos llamar un hijo fácil. Desde el día que lo trajo del hospital pareció que congeniaban. Ella entendía sus estados de ánimo y estaba de acuerdo con su ritmo. Cuando el niño lloraba, Cristina podía darse cuenta de si era porque tenía el pañal mojado, o porque tenía hambre o dolor, y sabía qué hacer.

Pero cuando llegó Laura, que fue la número dos, las cosas fueron muy diferentes. Laura era mucho más exigente que Natán, y cuando lloraba, Cristina no sabía qué hacer para calmarla.

Cuando Laura era bebé, era más difícil tranquilizarla. Cuando empezó a caminar, era mucho más activa y tenía más energía. Hoy en día, que es adolescente, continúa haciendo valer su individualidad.

Cristina nunca se dio cuenta de por qué ella encajaba mejor con Natán que con Laura hasta que entendió sus estilos de comportamiento. Tanto Cristina como Natán tienen marcas altas en la categoría «S», mientras que Laura es una «D». Así que es natural que Cristina entienda mejor a Natán, ya que es más parecido a ella. Lo que ella necesita hacer es aprender a ajustar su estilo natural a medida que trabaja con cada niño. Y eso es lo que Cristina está haciendo. Ahora ella aprecia la personalidad fuerte de su hija, aunque todavía puede causar conmoción en la tranquila familia.

En nuestra familia, Karen y yo también notamos diferencias desde el comienzo. Y muy pronto nos dimos cuenta de la necesidad de realizar ajustes.

Chad, nuestro primogénito, es una «D» alta, con mucho del estilo «I» mezclado. Aun cuando ya caminaba, muy rara vez durmió toda la noche. Se despertaba temprano y estaba listo para comenzar el día a las 5:00 de la mañana. Exigía nuestra atención y no jugaba bien solo.

Recuerdo una noche, cuando Chad tenía veintidós meses y yo lo puse a dormir. Oré con él, salí del cuarto y me dirigí a mi sillón, y antes que pudiera tomar en mis manos el control remoto del televisor, allí estaba él. Lo volví a llevar a su cama y le dije que se quedara acostado, pero en menos de un minuto allí estaba otra vez.

Esta rutina exasperante continuó por más de una hora. Al final, yo salía de su cuarto y me quedaba al lado de la puerta en el pasillo para poderlo agarrar al instante que salía de su dormitorio. ¿Es eso determinación o qué?

Pero yo también estaba determinado a no perder la batalla, y por medio de la persistencia, finalmente le pude hacer entender el mensaje, solo para volver a repetir lo mismo la noche siguiente.

Este tipo de niño es lo que el doctor James Dobson y otros expertos en familia llaman el niño de «voluntad firme», «difícil» u «obstinado». Otras personas los han llamado «los agotadores de la paciencia de las madres».

Entonces nació Kristi. Ella fue una niña tranquila, reservada, sumisa y bastante independiente. Algunas veces se nos «perdía». Sabíamos que no había salido de la casa, así que la buscábamos por toda la casa y la encontrábamos escondida en algún armario, jugando con sus muñecas o con sus bloques. Cuando creció, Kristi mantuvo su dormitorio ordenado a la perfección. Ella tiene su forma de hacer las cosas: de la manera correcta.

Cuando Chad era un bebé, yo me acostaba en el sofá y lo colocaba sobre mi pecho. Lo mecía hasta que finalmente se quedaba dormido. Traté de hacer lo mismo con Kristi cuando era bebé, pero no le gustó. Ella se movía y retorcía, y se sentía contenta cuando la colocábamos en su cuna y se dormía sola.

Nuestra hija Callie es también diferente. Ella presenta una mezcla de tendencias. Puede jugar sola, pero también le gusta descansar acostada en el sofá como su papá. Le gusta sentarse sobre mis rodillas y mirar televisión o leer, cualquier cosa que sea con tal de estar sentada conmigo. Es muy amorosa y afectuosa, pero también puede ser obstinada en ocasiones.

Como ve, cada hijo es único, singular, y las diferencias se pueden presentar en muchas situaciones.

La otra noche escuché un grito horrible que venía de la cocina. Pensé que Callie se habría cortado un dedo con un cuchillo o algo por el estilo, así que corrí a la cocina, y encontré a mis tres hijos saltando y gritando: «¡Tarántula! ¡Tarántula!» Una araña diminuta subía por la pared, y la estaban tratando de aplastar con algo a la vez que la estaban rociando con el atomizador del desodorante.

Yo soy el «matador oficial» de insectos en nuestro hogar. Karen y los niños los encuentran, yo los mato. Tengo un aparato de los que envían señales electrónicas para estar en estado de alerta las veinticuatro horas del día. Confrontado por esta araña, me saqué el zapato, elevé el brazo y la maté, dejando por todos lados pedazos de insecto y manchas de sangre.

Chad, mi hijo «D»alta, dijo: «¡Fantástico, papá!»

Callie («S»), dijo: «¿Está muerta en realidad?»

Kristi («C»), dijo: «¿Sabes? No debías haber matado una de las criaturas de Dios. La deberías haber tirado en el jardín».

Karen («C/S»), dijo: «¡Mira lo que hiciste! ¡Mira la suciedad que quedó!»

Yo («D/I») le dije a Karen: «Sí, quedó sucio. Pero eso cae bajo tu jurisdicción».

Cómo dirigir a nuestras familias

Karen y yo nos hemos dado cuenta de que para que nuestra familia experimente la armonía y unidad que Dios desea, necesitamos hacer algunos ajustes importantes en nuestros estilos naturales para criar a cada uno de nuestros hijos. La flexibilidad es esencial para reducir el caos en su hogar y permitir que su hijo o hija desarrolle un amor propio saludable.

El Salmo 133:1 dice: «¡Cuán bueno y cuán agradable es que los hermanos convivan en armonía!» Pero esta felicidad no cae del cielo en nuestro hogar. Debemos trabajar para obtenerla. Es difícil que las familias llenas de diferentes personalidades logren «encajar» bien cuando no saben por qué tan a menudo no están de acuerdo. Necesitan aprender a dirigir a personas diferentes de manera diferente.

La Biblia nos enseña a que dirijamos a nuestras familias bien. Un pasaje que se refiere a las personas que van a ser líderes en la iglesia es 1 Timoteo 3:4, 5, y expresa con toda claridad la importancia de dirigir a la familia: «Debe gobernar bien su casa y hacer que sus hijos le obedezcan con el debido respeto; porque el que no sabe gobernar su propia familia, ¿cómo podrá cuidar de la iglesia de Dios?» Esta es una buena pregunta.

En una situación de trabajo, un buen dirigente debería poder discernir las necesidades y las motivaciones de cada persona que trabaja bajo su dirección. Esa persona ajustará su estilo de liderazgo con cada individuo para poder obtener el máximo de cada empleado. Una persona tal vez necesite atención constante y que le den ánimo, mientras que otra simplemente necesitará un proyecto que le presente un desafío y la libertad de realizarlo como quiera.

En su libro titulado *13 Fatal Errors Managers Make, and How to Avoid Them,* W. Steven Brown, anota cómo el error número cinco «Dirigir a todo el mundo de la misma manera» es un error fatal. Él dice: «El gerente que trata de dirigir a todo el personal de la misma manera, usando solo una técnica, puede esperar desilusiones. Nunca va a tener éxito [y tal vez se pregunte por qué]. El gerente de éxito se da cuenta de las diferencias esenciales en las personalidades de aquellos a quien dirige, y es consciente de sus puntos fuertes y débiles, y los dirige como individuos».[3]

Los jefes de familia eficaces deben practicar el mismo principio. El entender los diferentes estilos de comportamiento de los miembros de su familia les ayudará a dirigir a su familia.

Ajuste su estilo de criar a los hijos

El solo pensar en adaptar su estilo de criar a sus hijos tal vez le parezca imposible. Después de todo, ¿no es su estilo «natural»? Es importante que se dé cuenta de que no quiero decir que usted se convierta en una persona diferente. Usted no puede cambiar su naturaleza básica, dada por Dios. Pero en forma voluntaria y temporaria puede adaptar su comportamiento para suplir las necesidades de otras personas, y construir una relación mutuamente satisfactoria.

Mucha gente simplemente necesita entender el estilo de comportamiento de otra persona. Entonces, *si encuentran que necesitan hacer ajustes, se las arreglan para hacerlos.*

Otros individuos tal vez puedan hacer los ajustes pero no están dispuestos a hacerlos. Tal vez son demasiado egoístas para hacer el compromiso necesario para lograr una relación madura. O pueden ser perezosos. De cualquier forma, la relación se mueve hacia el aislamiento y un sentido de distancia emocional.

Y otras personas están dispuestas a hacer los ajustes, pero no son capaces de lograrlo. Tal vez algo en su trasfondo les impida expresar la clase de amor que otro miembro de la familia necesita. O tal vez les falte madurez emocional o adiestramiento en las habilidades sociales. Estas personas pueden necesitar ayuda adicional, o tal vez asesoría.

Pero si usted está leyendo este libro, es probable que esté dispuesto a hacer el esfuerzo. Si ese es el caso, tengo algunas sugerencias sobre cómo ajustar su estilo de criar a sus hijos:

1. Reconozca cómo sus percepciones personales confunden, le dan color o nublan asuntos críticos entre las personas. La mayor parte de los problemas en las relaciones humanas parten de una diferencia en percepción; dos o más personas están viendo la misma situación de diferentes maneras.

Sus percepciones en cuanto a sus hijos estarán influidas por sus necesidades, valores, el concepto que usted tiene de sí mismo, sus experiencias pasadas, prejuicios y las cosas que le gustan y las que le disgustan. Y sí, va a ser influido por su estilo de comportamiento. En algunos casos estas percepciones personales pueden ser de ayuda. Si usted cree lo que dice la Biblia en cuanto al egoísmo natural de los seres humanos, este valor va a ejercer influencia en la forma en que enfoca a sus dos hijos pequeños cuando estos están peleando sobre qué programa de televisión mirar, y cada uno de ellos le dice una historia diferente en cuanto a quién le corresponde elegir.

Estas percepciones también le pueden presentar dificultades. En algunos casos, su estilo de comportamiento le va a impedir entender la verdadera naturaleza de un conflicto. Sus percepciones le pueden impedir responder en forma apropiada a situaciones diferentes. Ejercen influencia en sus expectativas de lo que usted quiere de sus hijos y de otras personas. Mayormente, le impiden entender por qué otras personas se comportan de la forma en que lo hacen.

El estilo directivo natural de Guillermo, el cual le sirve muy bien como gerente general de una compañía exitosa, no trabaja tan bien con Carlos, su hijo de diez años. El niño es una «I» alta y su fuerte es la interacción con otras personas más bien que completar tareas.

En el hogar, Guillermo ha creado una lista de tareas diarias que Carlos debe completar. Él dirige a su hijo de la misma manera que dirige a la gente en su oficina. Guillermo le quiere decir a Carlos lo que debe hacer, y luego espera que el niño complete la tarea por su cuenta. Después de todo, esa es la forma en que Guillermo opera. A él le gusta cuando el dueño de la compañía le dice lo que debe hacer, y luego lo deja solo.

Así que Guillermo se frustra y se enoja cuando regresa del trabajo y ve que su hijo no ha terminado sus tareas. Piensa que Carlos es irresponsable y que necesita dejar de perder el tiempo con sus amigos. Lo que no se ha dado cuenta es que Carlos necesita hacer cosas *con* su padre. El niño quiere que el trabajo sea divertido.

La interacción con su padre tiene una alta prioridad en la lista interna de Carlos de «cosas que hacer». Tal vez él se porte mal o manipule las circunstancias a propósito para forzar a su padre a que lo ayude. Aun si es castigado, por lo menos, está recibiendo un poco de atención de parte de su padre.

2. Aprenda a ver a su hijo en cuanto a sus puntos fuertes más bien que de sus limitaciones. La tendencia natural es hacer exactamente lo opuesto, ver a las personas en función de sus limitaciones. Puesto que las perspectivas y el comportamiento de su hijo no son como los de usted, es natural que piense que su forma es la «correcta».

Por ejemplo, un padre que es una «I» alta puede pensar que su hija que es una «C» alta pasa demasiado tiempo pensando y leyendo. Más bien que ver su habilidad de pensar como un punto fuerte, tal vez vea a su hija como demasiado analítica y apartada del mundo de la gente. Una madre que es una «C» alta y a quien le gusta mantener su hogar en perfecto orden puede sentirse totalmente exasperada con un hijo que es una «S» alta y a quien no parece interesarle la limpieza en «la forma en que debería interesarle». Estos padres critican a sus hijos constantemente.

Como voy a presentar en el capítulo 15, muchos matrimonios desarrollan este mismo problema. Su enfoque es en los aspectos negativos de su cónyuge más bien que en los positivos. Estas parejas van a encontrar ayuda si aprenden cómo sus personalidades y estilos de comportamiento se mezclan y les dan fuerza adicional.

Lo mismo sucede con los padres y las madres. El convertirse en estudiante del comportamiento de su hijo también significa que *usted* puede aprender de su hijo. ¿Ha considerado alguna vez la posibilidad de que Dios les puede haber dado a sus hijos puntos fuertes que podrían ayudarle a usted y a su familia? Para muchos padres y madres (especialmente los que tienen hijos muy pequeños), este es un pensamiento increíble. Esto es porque no han mirado lo suficientemente lejos en el futuro.

Digamos que es una madre «S» alta, y tiene problemas con su hijo de seis años que es una «D» alta. A esta altura, él es exigente y tiene mucha energía, y la cansa hasta dejarla exhausta. Pero considere esto: Suponga que su hijo tiene ahora diecisiete años, y tanto usted como su esposo se enferman con un virus que los mantiene en cama durante una semana. Alguien tiene que hacerse cargo de la casa, cocinar, comprar los alimentos y ver que todos los niños estén listos a tiempo y vayan a la escuela.

De pronto, ve a su hijo bajo una luz diferente. Usted necesita que él utilice su estilo directivo. Necesita la energía de él. Pero si pasó años criticando el estilo de comportamiento de su hijo, tal vez a él le falte la confianza o el deseo de hacerse cargo y ayudar ahora que lo necesita.

3. Ajuste su enfoque para relacionarse con su hijo de acuerdo con las necesidades de este y no a las suyas. Aprenda qué es lo que alienta a su hijo, lo que lo motiva y cómo comunicarse con él. Usted no puede dar por sentado que él debe ser tratado de la forma en que usted prefiere que lo traten.

En este mismo capítulo, les hablé sobre Guillermo, el hombre de negocios que es una «D» alta y que no entiende a su hijo Carlos que es una «I» alta. Guillermo necesita ajustar su estilo de criar a su hijo incluyendo más actividades de interacción en ciertas situaciones. Carlos necesita aprender a realizar sus tareas por su propia cuenta, pero es posible que Guillermo necesite intervenir y ayudarlo durante un tiempo. Esto le proporcionaría a Carlos la experiencia de completar una tarea, lo cual es importante para Guillermo, al tiempo que le daría tiempo con su padre.

Tal vez Guillermo pueda estar luchando con su temor natural de que Carlos se está aprovechando de él. Guillermo necesitará tomar una decisión consciente de dejar de lado ese temor, sabiendo que Carlos no lo está manipulando sino simplemente operando de acuerdo con su propio estilo natural de comportamiento.

Norma es una madre «I» alta, y está criando a su hijo Marcos sola. A ella le encanta participar en actividades sociales. Sus fines de semana están llenos de actividades. A Marcos, que es una «C» alta, le encanta estar solo, y necesita tiempo para ajustarse a los cambios y a las personas nuevas. Tal vez a él le guste una reunión social el fin de semana, pero el horario de su madre le produce mucha tensión.

Norma no entiende por qué Marcos prefiere pasar menos tiempo con la gente que ella. Piensa que su hijo es asocial. «Todo lo que él quiere hacer es quedarse en casa leyendo libros o jugando con amigos en la calle. Si él no sale a conocer a personas nuevas, va a ser un chico aburrido que va a perder mucho en la vida».

Marcos ha sufrido de severos dolores de cabeza durante el año pasado, pero Norma no ve la conexión. Ella cree que la mejor manera de aliviar el estrés de su hijo es por medio de la interacción con la gente. Después de todo, eso trabaja para ella.

Todos los niños necesitan desarrollar la confianza de adaptarse a situaciones desconocidas y a experiencias sociales nuevas. Tal vez Norma necesite empujar un poco a Marcos para que se involucre más con la gente, pero ella también necesita reconocer el estilo de comportamiento de él y permitirle que se mueva a su propio paso. Le va a resultar muy difícil, pero necesita avanzar más lentamente y disminuir el número de reuniones sociales a las que asiste. Con el paso del tiempo, Marcos será capaz de enfrentar el cambio, aun cuando su reacción emocional inmediata pueda ser incómoda.

El ejemplo de Cristo

Nuestro Señor nos modeló este estilo de ajustarnos a las necesidades de los demás. En Juan, capítulo 11, encontramos el relato de la muerte y resurrección de Lázaro. Mientras Lázaro estaba todavía enfermo, sus hermanas, María y Marta, le enviaron un recado a Jesús pidiéndole que viniera a verlos. Pero Jesús permaneció donde estaba. Cuando finalmente llegó a la ciudad de Betania, Lázaro había muerto.

Cuando Marta, quien era probablemente una persona de paso rápido y orientada hacia las tareas, oyó que Jesús venía, le salió al encuentro. María, quien era de paso más lento y más orientada hacia las personas, se quedó en la casa.

Marta expresó lo que pensaba con toda claridad: «Señor, si hubieras estado aquí, mi hermano no habría muerto». En los siguientes versículos, Jesús razonó con ella y le hizo algunas preguntas desafiantes.

Después de esto, Marta entró a la casa y le dijo a María que Jesús había llegado. Cuando María fue al encuentro de Jesús, le dijo exactamente lo mismo que le había dicho Marta antes: «Señor, si hubieras estado aquí, mi hermano no habría muerto».

Jesús no le respondió a María con un desafío, en cambio le mostró mucha compasión. Cuando él la vio llorar, el texto bíblico dice que «Jesús se turbó y se conmovió profundamente». Él les preguntó: «¿Dónde lo han puesto?», y juntos caminaron hacia la tumba. Y a continuación viene el versículo más corto de la Biblia: «Jesús lloró».

Dos personas diferentes formularon la misma pregunta, pero Jesús les respondió de forma diferente. Marta (una «D» alta), necesitaba un desafío. María (una «S» alta) necesitaba compasión. Jesús nos presentó el modelo al ajustar Su estilo para suplir las necesidades de las personas desde las bases de la paternidad divina.

Descripciones sobre cómo se encuadra en la familia

Para ayudarle a ajustar su estilo de comportamiento para suplir las necesidades de sus hijos, al final de este capítulo hay varias páginas de información. Por ejemplo, si usted es un padre o una madre «S» alta, encontrará información sobre cómo encuadrar o encajar con un hijo que es una «D» alta.

Para cada combinación de padre o madre-hijo (hija), usted encontrará información en tres categorías:

Puntos fuertes: Cuando se entienden y se aceptan las similitudes y las diferencias, cualquier combinación de padre o madre-hijo (hija) tiene ciertas ventajas.

Luchas: Cada par tiene puntos de conflicto naturales. Estos conflictos se centran en cosas tales como la paz, las prioridades, las perspectivas, el tomar decisiones, la comunicación y el manejar los cambios.

Estrategias: Cuando se entiende la dinámica natural de cada una de estas combinaciones, se pueden tomar pasos que lleven a que los padres encajen o encuadren bien con sus hijos.

En mis talleres en los seminarios que dicto, he visto una y otra vez que los padres y las madres asienten de inmediato al entender las similitudes y las diferencias entre sus estilos y los de sus hijos e hijas. A medida que se dan cuenta de los puntos fuertes y las luchas naturales en sus combinaciones, se vuelven más propensos a ser flexibles en sus estilos de criar a los hijos.

«Ahora entiendo por qué mi esposa y mi hija de catorce años discuten y pelean todo el tiempo. Las dos son "D" —me dijo un padre—. Pero lo que complica más las cosas es que yo soy una "D" alta. ¡Tres personas que quieren controlar!»

Una madre se describió a sí misma y a su esposo como personas «más bien intensas». Pero se sentía perpleja en cuanto a su hijo. «Hasta ahora nunca habíamos entendido por qué parece que no podemos motivar a nuestro hijo. No es que sea un chico malo; ayuda bastante y es agradable estar con él. Casi nunca nos da un mal rato, pero no parece que podamos lograr que tome alguna iniciativa».

A medida que lee las descripciones, recuerde lo siguiente:

1. Cada pareja de padre o madre-hijo (hija) es única. Si usted es una «I» y su hijo es una «C», las declaraciones de la descripción le deberían ayudar, pero tal vez no siempre se apliquen a la perfección a su situación. La información no tiene el propósito de darle una fórmula mágica que arreglará su relación. Estas descripciones le ayudarán a entender la dinámica natural que existe entre usted y su hijo, y le proveen sugerencias para que las pruebe.

2. Algunas combinaciones pueden ser más propensas a empujarlo a un estilo ineficaz de criar a los hijos (por ejemplo: autocrático, permisivo, complaciente, perfeccionista). Ser consciente de las cosas que lo hacen reaccionar le puede ayudar a permanecer en su estilo eficaz de criar a sus hijos, y también a ser flexible en su estilo natural para incorporar las cualidades positivas de otros estilos cuando es necesario.

Lea el par de combinaciones que corresponden a su familia primero. Recuerde leer las otras categorías si usted y su hijo expresan más de un estilo dominante. A medida que trabaja con esta información, reflexione en preguntas tales como las siguientes: ¿Qué es cierto y qué no es cierto en cuanto a estas relaciones? ¿Qué asuntos necesitan atención inmediata y acción? ¿En qué nos parecemos? ¿En qué somos diferentes? ¿En qué encajamos fácilmente y en qué «vuelan las chispas»?

Le sugiero que también les explique los principios de estilo a cada uno de sus hijos y que les lea la información que se aplica a su estilo específico de criar a sus hijos. Piense en ilustraciones específicas y en ocasiones cuando los puntos fuertes y las luchas se observaron con claridad. Permita que sus hijos le ofrezcan posibles soluciones, opiniones y sugerencias sobre cómo implementar las estrategias. Involucre a todos para llegar a ser una familia que se acopla.

Ahora es el momento para comenzar a enfocarse en su hijo o hija y descubrir cómo trabajar con su estilo particular cada día. Recuerde que estas son *pautas* y no *mandamientos*. Las fórmulas claras son siempre tentadoras, pero la vida no es tan simple, especialmente cuando se trata de la interacción entre padres e hijos. Tome lo que se aplica a usted, y úselo. Deje el resto. Solamente usted puede, en realidad, saber qué se aplica a usted y a su hijo.

NOTAS

1 Anne Cassidy, «Family Fit», tomado de la revista Family Circle (Febrero 1991): 89.

2 Stellas Chess y Alexander Thomas, *Know Your Child* (Nueva York: Basic Books, 1987).

3 W. Steven Brown, *13 Fatal Errors Managers Make, and How to Avoid Them* (Old Tappan, Nueva Jersey: Fleming H. Revell, 1985), 62.

HIJO DETERMINADO («D»)

Puntos fuertes: Mientras tanto ustedes dos compartan los mismos deseos y la misma dirección, experimentarán armonía, y podrán tener grandes logros como equipo. Sus metas mutuas, admiración y deseo de obtener resultados pueden ser algo muy positivo y alentador.

Luchas: Las luchas de poder sobre el control son la fuente más frecuente de fricciones y peleas. Dado que los dos son competitivos, ambos quieren ganar cada batalla cueste lo que cueste; ninguno va a querer ceder o rendirse. Usted piensa, *si le doy un centímetro, se va a tomar un metro,* y en muchos casos tiene razón. Pero si ustedes no pueden llegar a algunos acuerdos, la vida en su hogar se convertirá en un campo de batalla.

Estrategias:

- No fuerce las cosas. No amenace o dé ultimátum.
- Provea equilibrio entre mantener líneas severas y permitirle a su hijo algunas esferas donde él puede ejercer control.
- Dele elecciones cuando sea posible. Por ejemplo: «¿Te gustaría limpiar tu cuarto ahora o cuando termines de mirar ese programa en la televisión?»
- No le dé discursos.
- Cuando sea posible, dé órdenes directas y de una palabra sola: «Sara, ¡el *cuarto*!»
- Hable con su hijo sobre las esferas donde se producen los mayores trastornos. Siéntense juntos, explíquele las reglas que usará, y adhiérase a ellas. Esto va a entrenar al niño para que llegue a ser responsable y entienda los límites. No discuta con su hijo. Si lo hace, él ha ganado la batalla, porque pudo controlar sus emociones y reacciones.

HIJO INFLUYENTE («I»)

Puntos fuertes: Usted y su hijo tienen confianza en sí mismos y les gusta un enfoque de paso rápido en la vida. Su hijo querrá complacerlo tanto que seguirá (o por lo menos parecerá seguir) su liderazgo.

Luchas: Su deseo de lograr metas y de conseguir resultados puede fácilmente ser frustrado por la actitud de este niño de «tomar la vida como viene». Pueden ocurrir conflictos frecuentes cuando su enfoque de lograr que las cosas se hagan choque con el enfoque del niño de divertirse y estar con sus amigos. También, la tendencia de este niño hacia la desorganización y el no completar las tareas puede causarle a usted mucho enojo.

Estrategias:

- Dese cuenta que este hijo tal vez nunca tenga su mismo enfoque en cuanto a ser orientado hacia las metas, pero esto no hace que sea un niño malo.
- Haga que el trabajo sea divertido. Realice algunas tareas y proyectos *con* su hijo.
- Provea ideas en cuanto a transformar las palabras en acciones. Escriba los detalles de lo que usted espera, y mantenga las reglas simples y fáciles de seguir.
- Escuche con entusiasmo las historias y los cuentos largos de su hijo. Esta es una habilidad que debe ser alentada, tal vez llegue a ganarse la vida hablando.
- Dele muchos elogios, cariño y aprobación.
- Acepte los sentimientos y las emociones de este niño, al tiempo que usted insiste en los hechos.
- Su propio punto fuerte de mantenerse firme y solo bajo presión puede proveerle un modelo excelente a este niño, cuya lucha mayor tiende a ser ceder ante la presión que ejercen sus amigos.

HIJO SENSIBLE («S»)

Puntos fuertes: A usted le gusta liderar y a este hijo le gusta seguir. Él se sentirá seguro con usted mientras tanto usted demuestre un comportamiento controlado y estable.

Luchas: Si lo trata con demasiada severidad, se va a sentir intimidado y lo tomará personalmente. También, los padres y madres que son «D», muchas veces no entienden a su hijo «S», y lo catalogan de «débil». Esto puede con facilidad llevar al niño a experimentar problemas de amor propio.

Estrategias:

- No espere que este hijo resuelva cómo completar una tarea. Indíquele, paso a paso, exactamente lo que debe hacer. Él quiere complacerlo, así que quiere saber cómo usted quiere que algo se haga.
- Fíjese bien cómo dice las cosas. Este niño es muy sensible y puede ser herido por comentarios negativos espontáneos y descuidados, y también por el enojo.
- No lo empuje a competencias intensas.
- Nunca lo compare con otra persona. Eso no lo va a motivar y puede causarle que deje de seguir tratando.
- Los niños sensibles necesitan sentirse cerca de su padre y de su madre. Para darle a su hijo un sentimiento de que es aceptado y que tiene un sitio, debe realizar un esfuerzo especial para pasar tiempo con él y darle mucho cariño.

HIJO CONCIENZUDO («C»)

Puntos fuertes: Puesto que usted y su hijo se enfocan en las tareas y les gusta trabajar en forma independiente, comparten algo en común. Como equipo, con la dirección que usted provee y la atención del niño por los detalles, pueden lograr mucho.

Luchas: Usted tiende a comenzar un proyecto con rapidez, mientras que a su hijo le gusta pensar las cosas considerando todos los detalles. Ambos quieren resultados, pero el niño quiere que las cosas se hagan correctamente, y usted quiere que se hagan *ahora*. Esta diferencia en paso es una fuente constante de conflicto. También su tendencia de controlar las cosas puede ser desalentadora para un niño que no le gusta sentirse presionado.

Estrategias:

- No se vuelva impaciente con este niño. No lo apure o empuje.
- Dele tiempo para que tome decisiones.
- Permita que pueda considerar todos los hechos y hacer las cosas «correctamente», de la manera que él define «correcto».
- Tenga cuidado con la crítica, porque mientras que estas lo pueden motivar a usted, es posible que su hijo las guarde en su interior, y pueden dañar seriamente su amor propio. Los comentarios sarcásticos o la agresividad lo paralizarán.
- Esté preparado para contestar las preguntas «por qué» y darle, con paciencia, respuestas detalladas.
- Acepte y aliente su naturaleza cuidadosa. No espere que él tome riesgos como usted.
- Escuche a su hijo. Por lo general, él ha pensado a fondo las razones por las cuales hace lo que hace.

HIJO DETERMINADO («D»)

Puntos fuertes: Al padre o madre interactivo le deleitarán los puntos fuertes de sus hijos «D», harán alardes de sus logros y compartirán las luces de las candilejas en los honores que reciban. Tanto el padre (o la madre) como el hijo miran la vida con confianza, son motivados por las actividades y quieren verse como ganadores. El frecuente elogio del padre (o la madre) «I» en cuanto a los logros y el aliento les resultan motivadores al hijo «D», que desea ser admirado.

Luchas: Los padres interactivos quieren gustarles a sus hijos y tienen la tendencia de llegar a ser muy permisivos. Mientras que los niños «D» necesitan cierta libertad y que se les permita elegir, deben tener límites bien definidos a los que se adhieren con firmeza. Si el padre o la madre que es «I» alta no tiene cuidado, el hijo «D» va a tomar el control del hogar.

Estrategias:

- Imponga límites y fronteras claramente definidos y no se salga de ellos. Cuando las reglas se rompen y los límites se cruzan, debe implementar las consecuencias previamente determinadas y la disciplina.
- Recuerde: Este niño tiende a sacarle ventaja a cualquier incoherencia o falta de seguimiento de su parte. Él está determinado a hacerse cargo cada vez que sea posible.
- No le tema al enfrentamiento, espérelo.
- Cuando corrija su comportamiento, sea breve y vaya al grano. Los niños «D» no necesitan o quieren explicaciones tipo letanías. Dele órdenes que consistan de una palabra y espere que él las obedezca.
- Tenga presente, que con frecuencia, lo va a empujar fuera de la esfera en que usted se siente cómodo y que esto le puede resultar emocionalmente agotador a usted.

HIJO INFLUYENTE («I»)

Puntos fuertes: Tanto usted como su hijo viven con entusiasmo y son optimistas. Les gusta estar con la gente, divertirse, quieren impresionar a los demás y dan cumplidos y alabanza con toda libertad. Es más, ustedes se pueden convertir en una sociedad de admiración mutua. Cuando cometen errores, los dos van a ser condescendientes y tienden a perdonar con facilidad.

Luchas: Debido a que tanto usted como su hijo tienden a vivir la vida emocionalmente, tal vez ambos compitan por ser el centro de la atención. (Los celos entre una hija adolescente que es «I» alta y su madre no son raros.) También, puesto que ambos tienden a ser impulsivos, asuntos tales como el proseguir con sus objetivos en cuanto a las responsabilidades y la disciplina financiera pueden convertirse en un problema familiar de trascendencia.

Estrategias:

- Recuerde escuchar a su hijo o hija «I». A él o a ella le gusta hablar tanto como a usted.
- Tome en cuenta que su tendencia a ser demasiado permisivo puede ayudar a provocar una falta de responsabilidad mayor en este hijo. Aprenda a incorporar algunos de los puntos fuertes de los estilos de criar a los hijos directivos y disciplinarios para darle equilibrio a su estilo natural.
- Tenga en cuenta que a este hijo le desagradan los detalles tanto como a usted. Escriba quién es responsable por qué. Puede hacer que esto sea divertido si lo convierte en un juego.
- Establezca límites definidos y prosiga aplicando disciplina. Resista sacar a su hijo o hija de un apuro cuando no prosigue con sus objetivos. Esto no le va a resultar fácil, pero es necesario para que pueda crecer y convertirse en un adulto responsable y competente.

HIJO SENSIBLE («S»)

Puntos fuertes: Los padres y las madres interactivos apreciarán la naturaleza tranquila y sosegada del hijo sensible, suave. Al padre le gusta hablar, al hijo le gusta escuchar. Tienden a llevarse muy bien.

Luchas: Al mismo tiempo, la mayoría de las luchas entre los padres «I» y los hijos «S» se centran en las diferencias de paso. Al padre que es «I» alta le gusta un paso rápido, una vida llena de emociones, y esto es precisamente lo que el hijo «S» quiere evitar. A la persona que es «I» alta le gusta el ruido y la confusión; la que es «S» alta quiere quietud. El padre «I» alta se destaca en la espontaneidad, variedad y los cambios rápidos. El hijo «S» alta es lento para los cambios, le gustan las rutinas y no le gustan las sorpresas y los cambios que no se han planeado.

Estrategias:

- No enfoque todo con tanta rapidez. Déjelo que responda a su propio paso más lento.
- Dele tiempo para tomar decisiones.
- Atenúe su entusiasmo. No lo avergüence mostrándose demasiado entusiasta en cuanto a sus logros frente a otras personas. Provéale apoyo y aliento en privado, más bien que en público.
- Sea sincero en sus muestras de aprecio y alabanza.
- Acepte la timidez de este niño y el hecho de que puede ser lento para mostrar familiaridad con personas y acontecimientos nuevos.
- Siempre que sea posible, adviértale por anticipado cuándo y cómo podrían cambiar las cosas.
- Formúlele más preguntas y escuche atentamente sus respuestas.
- Pídale ayuda para completar tareas. Al hijo o a la hija «S» alta le gusta sentir que su contribución es valiosa y querida.

HIJO CONCIENZUDO («C»)

Puntos fuertes: Ustedes pueden aprender mucho el uno del otro, puesto que sus puntos fuertes proveen un buen equilibrio a los puntos débiles de cada uno. El niño puede aprender a no tomar las cosas tan seriamente y a divertirse más. Y le puede ayudar a usted a pensar las cosas detenidamente, de forma más analítica.

Luchas: Sus diferencias pueden llevar a frecuentes malentendidos. A usted le gusta hablar, pero algunas veces su niño necesita tiempo para estar solo. También, debido a que usted es tan expresivo con las palabras, es posible que no se dé cuenta de la manera más indirecta de este hijo de comunicar lo que le preocupa.

Estrategias:

- Escuche para entender mejor. Esté atento a detalles sutiles en lo que dice su hijo. Él usará pocas palabras al hablar, y cada palabra tiene significado.
- Suavice sus reacciones emocionales y su entusiasmo. Adhiérase más a los hechos y a los objetivos, especialmente en medio del conflicto.
- Tenga presente que este niño siente tanto los impulsos por la perfección como usted los siente por la diversión. Usted no puede simplemente «darle poca importancia» y reírse de los errores.
- Permítale tiempo para estar solo cuando su trabajo no alcanza los niveles que él mismo se ha impuesto.
- No lo apure o empuje. Dele tiempo solo para que haga un trabajo de calidad.
- Sea sincero en sus elogios en cuanto al trabajo que hace este hijo. Dígale lo que ha hecho bien, usando términos específicos y descriptivos, en lugar de decirle generalidades tales como «¡Buen trabajo!» «¡Muy bien!», o «¡Has hecho un trabajo fantástico!»
- Recuerde que el temor mayor de este niño es recibir críticas de su trabajo. Sea suave cuando lo corrige.
- No espere que este hijo tome riesgos. Acepte su naturaleza cautelosa.

HIJO DETERMINADO («D»)

Puntos fuertes: Usted tiene la habilidad de proveer aliento, que es lo que hace que este niño se destaque a medida que busca lograr sus metas y poner en práctica su liderazgo.

Luchas: Dado que este niño necesita control constante y acción instantánea, con mucha facilidad puede dejar exhausto a un padre o una madre como usted que quiere que todo esté en calma y paz. El mayor problema con esta combinación es en la esfera de la disciplina. Usted tiende a ser demasiado indulgente y quiere evitar los conflictos, y su hijo o hija lo sabe. Este niño puede fácilmente sacarle ventaja. Usted quiere la paz a toda costa, y el resultado a largo plazo puede ser un niño incontrolable.

Estrategias:

- Este niño necesita algunas esferas sobre las que él tiene control. Solo asegúrese de que él no lo controle a *usted.* Y no se descorazone cuando él no lo necesita para alguna actividad. A él le gusta hacer las cosas por sí mismo. No lo tome personalmente.
- Sea firme. Fuércese a sí mismo a adoptar una postura. Formule declaraciones firmes y establezca su autoridad.
- Sea concluyente y manténgase firme en sus decisiones. Dese cuenta que va a ser probado. Es importante que no vacile.
- También entienda que no le va a resultar fácil ser más decisivo, pero que es necesario que lo sea.
- No sienta que ha fracasado porque su hijo es tan diferente a usted. Él es de la manera que es debido a su diseño.

HIJO INFLUYENTE («I»)

Puntos fuertes: Usted tiene el potencial para llevarse bien. Le gusta divertirse y este tipo de hijo puede proveer el entretenimiento. Ambos proporcionan halagos y apreciación, algo que los dos necesitan para sentirse bien en cuanto a sí mismos.

Luchas: El mantenerse al paso de este niño puede ser un desafío para usted. A su hijo le gustan los cambios y se mueve de una actividad a la siguiente como un tornado. Usted prefiere las rutinas, y que las cosas estén en calma y paz.

Estrategias:

- Usted debe ser firme y establecer límites con este niño. Su facilidad de hablar rápidamente y de ser persuasivo lo pueden dejar a usted sin palabras, preguntándose por qué le dio permiso para alguna actividad.
- No le haga las cosas a este niño. Tiene la tendencia de que no le gusta el trabajo y si usted no tiene cuidado, dejará que usted haga todo lo que él tiene que hacer. Esto puede crearle irresponsabilidad; vivirá creyendo que alguien más lo va a cuidar, así que él simplemente pasará por la vida como si tal cosa, y se divertirá.
- No lo saque del apuro cuando ha sido irresponsable con sus tareas escolares o en cuanto a mantener su horario. Déjele experimentar las consecuencias de ser desorganizado u olvidadizo.
- Ayúdele a ser más organizado escribiendo, paso por paso, cómo se debe hacer algo. Use listas «Algo para hacer», pero no se sorprenda cuando con frecuencia pierda la lista.

HIJO SENSIBLE («S»)

Puntos fuertes: Ustedes tienen mucho en común y pueden disfrutar de estar juntos. Ambos aprecian una atmósfera hogareña pacífica, calmada, tranquila y trabajan para que sea así. Ambos se ayudan mutuamente. A los dos les gustan los tiempos «cuando no hay nada que hacer», pasar una tarde mirando televisión, caminar por el centro comercial, o pasar tiempo en un bote pescando, sin tener que preocuparse por el tiempo o el teléfono.

Luchas: El problema mayor se encuentra en la esfera de la comunicación. Ambos hablan en forma indirecta y ofrecerán sugerencias, pero ninguno querrá tomar una decisión. Tampoco ninguno de los dos va a querer iniciar algo que resultará en un cambio. Si usted es demasiado complaciente, el hijo puede llegar a depender demasiado de usted y crecerá careciendo de la habilidad de pensar y de hacer las cosas en forma independiente. También, debido a que ninguno de los dos quiere disgustar al otro, es posible que se repriman los sentimientos heridos. Con el tiempo, el no estar dispuesto a hablar sobre las cosas que son desagradables puede convertirse en un problema.

Estrategias:

- Establezca un equilibrio entre hacer cosas por su hijo y animarlo a que las haga por sí mismo.
- Inicie más y sea más decisivo.
- Admita que un poco de conflicto y cambio es saludable. La vida cambia constantemente, así que no lo proteja mucho de esta realidad.
- Trate de que le diga cómo se siente y comparta sus propios sentimientos con honestidad. No oculte las heridas o los sentimientos negativos debajo de la alfombra, esperando que desaparezcan.

HIJO CONCIENZUDO («C»)

Puntos fuertes: Ambos tienden a ser de paso más lento y se permiten «tiempo solos» el uno al otro. También pueden disfrutar de estar juntos sin mucha conversación. Ninguno de los dos es agresivo y los dos prefieren evitar el conflicto.

Luchas: En esta combinación, la naturaleza de su hijo de hacer críticas puede resultar en que usted sienta que sus sentimientos han sido heridos. Usted querrá reprimir esos sentimientos en lugar de hablar sobre ellos. El enfoque que este niño tiene de la vida, que es intuitivo y lógico, puede a veces chocar con su enfoque más orientado hacia los sentimientos. También, usted por naturaleza trabaja para desarrollar relaciones íntimas, y tal vez le preocupe la forma de ser de este niño que es más fría y calculadora.

Estrategias:

- Reconozca la necesidad de este niño de mantener su vida privada. Si hay un conflicto, dele tiempo para que piense solo, y pídale hablar sobre los problemas más tarde.
- Necesita tiempo en privado para «recargar sus baterías» después de alguna situación tensa. No interprete esto como que lo está rechazando.
- No lo empuje a la intimidad. Escoja los tiempos que va a compartir con él con sumo cuidado. Hable sobre cómo se siente usted y escuche atentamente para tratar de entenderlo cuando este niño se ha cerrado o retraído.
- Esté preparado para dar explicaciones detalladas de manera paciente.
- Dele un tiempo para que se sienta desilusionado cuando no ha alcanzado sus propios niveles altos.
- Alábelo con sinceridad y en forma detallada y muestre aprecio por su trabajo.
- No reaccione en forma exagerada a la tendencia de este niño de ser crítico, sino que con cuidado guíelo para que acepte puntos débiles en sí mismo y en los demás.

HIJO DETERMINADO («D»)

Puntos fuertes: Tanto usted como su hijo comparten una inclinación similar hacia el completar tareas. Mientras tanto comparten esta meta, esta puede ser una combinación muy eficaz, en la que ambos se ayudan mutuamente.

Luchas: Si el padre o la madre y el hijo tienen metas opuestas, el padre o la madre «C» se va a encontrar en una batalla desesperada. El individuo «C» quiere que las cosas se hagan «correctamente», de acuerdo con *sus* normas. Pero hacer las cosas «correctamente» para una persona «D» casi nunca es tan complicado como le parece a una «C». El hijo «D» simplemente quiere hacer las cosas a su manera y completar el trabajo. Este niño tiende a tomar decisiones y a hacer las cosas con rapidez, y pasará por alto detalles clave que son muy importantes para un padre o una madre «C».

Estrategias:

- Dele a su hijo «D» algunas responsabilidades y no intervenga para tratar de mejorar las cosas. Este niño necesita estar a cargo de algo.
- Sea pródigo cuando aprueba las metas y los logros de este niño. Tal vez esto no le resulte natural, dado que con frecuencia ve la forma en que alguna cosa se podría hacer un poco mejor.
- Reconozca que para este niño es importante tomar riesgos. Establezca límites en cuanto a la seguridad y la prudencia.
- Acepte que la vida con un niño «D» va a ser un cambio y un desafío tras otro.
- Reconozca su necesidad de actividades físicas.
- Trate de no discutir con él; su razonamiento tal vez no sea convincente.
- Sobre todo, no espere la perfección. Sea cauteloso en cuanto a colocar sus normas a un nivel tan alto que su hijo sienta que jamás lo podrá alcanzar. Aun un niño «D» va a desistir si se le critica constantemente por no alcanzar las metas.

HIJO INFLUYENTE («I»)

Puntos fuertes: Su inclinación por los detalles y el hacer las cosas correctamente es lo que este niño necesita para ser más equilibrado y tener éxito en la vida. Su hijo puede ser una fuente de novedades y gozo para usted, porque usted tiende a ser más serio.

Luchas: Dado que ustedes están en los extremos opuestos de la línea de «paz y prioridad», tal vez encuentre difícil entender la necesidad intensa y persistente de este niño de divertirse. A causa de sus normas altas, es posible que no reciba los elogios y la aprobación que necesita. Tal vez esto le cause buscar la aprobación de otras personas.

Estrategias:

- Debe modificar sus expectativas para este hijo. Reconozca que jamás le va a dar la misma atención a los detalles que usted le da.
- Este niño anhela aceptación y aprobación, así que busque sus puntos fuertes y elógielo en todas las oportunidades que pueda.
- Disfrute a su hijo por quién es él, aunque sus puntos fuertes puedan ser diferentes a los de usted.
- Deje de trabajar en sus propios proyectos y tareas el tiempo suficiente para prestarle toda su atención.
- Escuche sus historias y relatos con entusiasmo. Él se siente vigorizado cuando habla y usted lo escucha atentamente.
- Lo más importante de todo, no lo empuje a alcanzar la perfección. No coloque sus normas tan alto que sienta que jamás las podrá alcanzar.

HIJO SENSIBLE («S»)

Puntos fuertes: Ustedes dos toman las cosas con calma y pueden disfrutar de una relación más reservada y de poca intensidad. Usted puede apreciar la naturaleza agradable y tranquila de su hijo, que evita los conflictos bulliciosos.

Luchas: Tal vez se sienta frustrado porque este niño no piensa las cosas a fondo como usted, o porque no comparte su entusiasmo por los detalles clave. Tal vez se preocupe porque parece que no puede motivar a este hijo a tratar de alcanzar los mismos niveles de excelencia que usted tiene en la vida.

Estrategias:

- Sea consciente de su tendencia a enfocarse en las tareas importantes y en hacer las cosas correctamente. Guarde el equilibrio entre su interacción al explorar cómo se siente este niño y lo que está sucediendo en el mundo de él.
- Sea más franco y comparta sus sentimientos con su hijo. Haga que comparta con usted.
- Algunas veces permítale el lujo de no hacer nada. Esta es la forma en que él recarga sus baterías.
- Acuérdese de explicar la forma en que quiere que algo se haga. No espere que él resuelva los detalles por sí mismo.
- Muestre aprecio sincero por cualquier esfuerzo, aun si no se ha realizado a la altura de sus normas.
- Tenga mucho cuidado con sus críticas. Las críticas pueden parecer duras, aunque esa no fue su intención.
- Lo más importante de todo, no coloque sus normas tan alto que este niño sienta que jamás las podrá alcanzar. Se sentirá inadecuado y no valorado, y simplemente va a desistir.

HIJO CONCIENZUDO («D»)

Puntos fuertes: Esta es una combinación natural para producir un niño prodigio. Ustedes pueden disfrutar trabajando duro en alguna tarea o proyecto juntos, y prestarle atención completa a lo que es preciso hacer. Ambos tienen tendencia a ser serios. Y tanto usted como su hijo están dedicados a alcanzar la excelencia, calidad alta, y a hacer las cosas correctamente.

Luchas: El problema surge cuando el padre o la madre y el niño no están de acuerdo en cuanto a quién está haciendo las cosas «correctamente». Ambos pueden cerrarse con rapidez y retraerse para planear el siguiente movimiento. Los dos también pueden involucrarse en una guerra de comunicación indirecta.

Estrategias:

- Sea franco si algunas veces su hijo sugiere una manera diferente de hacer las cosas.
- Esté dispuesto a ser flexible en cuanto a algunas de sus normas para terminar un trabajo de una manera mutuamente aceptable.
- Tenga cuidado cuando lo corrige. Usted sabe muy bien que aceptar la crítica de *su* trabajo es uno de sus temores mayores.
- No reaccione con excesiva fuerza cuando su hijo lo critica.
- Demuéstrele mucho afecto y no oculte sus emociones. Al igual que usted, este niño necesita sentirse amado y valorado, es posible que no sea de naturaleza afectuosa.
- Lo más importante de todo, no coloque sus normas tan alto que este niño sienta que jamás las podrá alcanzar.

CAPÍTULO DIEZ

«Espejo, espejo...»

Cuando Susana entraba a una fiesta, de inmediato se convertía en el centro de la atención. Ella era muy bonita, vivaracha y decía las cosas más sorprendentes para escandalizar a la gente. Sí, Susana era alguien a quien todo el mundo quería conocer, pues había trabajado en Hollywood durante la «época dorada» de los años 1930 y 1940, lo cual sin duda fue una experiencia apasionante.

Desde que tenía memoria, su vida había girado alrededor del mundo de los espectáculos. Su madre había sido bailarina de teatros de variedades por muchos años. Sus primos habían trabajado en el teatro y en los estudios cinematográficos.

Susana no se llevaba muy bien con su madre. Tal vez ella nunca la había perdonado por dejarla para viajar y actuar a lo largo del país con el hombre con quien recientemente se había casado. Ella había dejado a Susana, que tenía ocho años, en un orfanato. Cuatro años más tarde ella la fue a buscar, pero pelearon amargamente durante los años de la adolescencia de Susana.

Susana se convirtió en una corista, apareciendo en varias películas. Luego se convirtió en la encargada de las bailarinas en un club nocturno, uno de esos que era frecuentado por los mejores productores y directores. Allí ella aprendió su primera lección en cuanto al lado oscuro de Hollywood; el dueño de ese club tenía fuertes conexiones con la mafia.

Esos fueron años muy peligrosos para ella. Susana era amenazada cuando no quería salir con algunos de esos mafiosos. Ella conocía a las muchachas que salían con ellos y también conocía a las que habían desaparecido.

Finalmente encontró una nueva válvula de escape para su energía y ambiciones. Llegó a ser asistente de un director. Con su inteligencia y fuerte personalidad, se desempeñó bien. Los directores comenzaron a pedirle que trabajara para ellos, y ella aprendió el negocio de hacer películas.

Su meta principal era llegar a ser productora de películas, alguien que cerraba los tratos. Hoy en día, mujeres como ella están ganando millones de dólares en Hollywood. Pero en los años 1940, nadie la tomó en serio. Sentía que sus compañeras querían impedirle avanzar en su carrera, al igual que la industria y los hombres. Su carrera comenzó a declinar, algo aciago para una persona con tanta ambición.

Cuando tenía treinta y nueve años de edad, tuvo la oportunidad de comenzar una nueva vida. Se casó con un carpintero que trabajaba en un estudio cinematográfico y tuvo una hijita.

Decidió que no iba a permitir que su hija Carmen pasara por tanto dolor y fracasos como ella había experimentado. La niña no iría al mundo de los espectáculos, sino que crecería para ser esposa y madre, y Susana sería su modelo.

El problema fue que Susana nunca tuvo un buen modelo para criar a un niño. Ella amaba a su hija, pero no sabía qué hacer. En el proceso de crear esta nueva vida para sí misma y para su hija, por poco destruye a su hija y a sí misma.

A medida que Carmen crecía, Susana comenzó a darse cuenta de lo parecidas que eran. Carmen tenía la inteligencia de su madre, su personalidad fuerte y la habilidad de llevarse bien con la gente. Mientras que muchos padres y madres quieren que sus hijos sean como ellos, Susana reaccionaba *negativamente* cuando Carmen se comportaba como ella.

A Carmen le encantaba bailar. Cuando era niña, solía colocar discos de los espectáculos musicales de Broadway en el fonógrafo y, moviendo los muebles de la sala para hacer espacio, bailaba al compás de esas canciones. Durante años, ella le rogó a su madre que le permitiera tomar lecciones de baile, pero Susana se negó. Su hija no iba a ser bailarina, y eso era todo. Carmen podría participar en la organización de niñas exploradoras y en actividades de la iglesia.

Para evitar que Carmen experimentara el fracaso, Susana le impidió tratar de hacer cosas nuevas o riesgosas. Cuando era adolescente, Carmen decidió que quería ser una de las personas que trabajan de doble realizando las escenas peligrosas para los artistas de cine. Así que Susana trajo a su casa a una mujer que hacía ese trabajo, y a quien había conocido en los estudios cinematográficos, y durante dos horas hablaron con Carmen en cuanto a «esa tonta idea». Como recuerda Carmen: «Eso es todo lo que yo escuchaba cuando le decía a mi madre que quería tratar de hacer algo. Mi madre me decía: "Eso es muy difícil de lograr". Ella no quería que yo fuera herida como lo había sido ella».

A través de los años, Susana trató de reprimir cualquier comportamiento que no encajara con el papel que había elegido para su hija. Rebajaba la inteligencia de la niña llamándola «tonta de capirote». Quería que Carmen pensara que era tonta, que no podía cuidar de sí misma y que necesitaba un esposo para que la cuidara.

«Ella quería mi seguridad —dice Carmen—, y la única forma que podía lograrlo era destruyendo mi amor propio. Cada vez que yo mostraba inclinación a tomar las cosas por mi cuenta, o alguna iniciativa, siempre era echada por tierra».

La relación entre ellas era tensa desde el comienzo, pero se deterioró y convirtió en una guerra sin cuartel cuando Carmen era adolescente. «Yo iba a mi dormitorio y pensaba en lo más desagradable que le podía decir a mi mamá, y ella hacía lo mismo».

Todos los años de dolor y fracaso fueron demasiado para Susana, y comenzó a beber y tomar barbitúricos. Cuando Carmen tenía diecinueve años, se casó con un graduado de la academia de aviación, y Susana le hizo una fiesta de casamiento hermosa. Era su sueño hecho realidad.

Antes de dos años, Carmen se separó de su esposo, y Susana estaba muriendo en un hospital. Carmen todavía recuerda un día cuando visitó a su madre, estaba ciega por una dosis muy fuerte de medicinas y solamente podía hablar moviendo los labios.

Un día, ella tocó a su hija y le preguntó:

—¿No vas a regresar con tu esposo, verdad?

—No, mamá.

—¿Él lo sabe?

—Sí.

Entonces Susana le acarició la mano a su hija y le dijo:

—Está bien, querida. Yo he hecho lo mismo dos o tres veces.

Esa fue una de las pocas veces que Carmen recuerda haber oído palabras de apoyo y aceptación de labios de su madre. Es irónico que le llegaron un poco después que Carmen había sufrido algo del dolor que su madre había luchado tanto por evitarle. Susana murió poco después a la edad de cincuenta y nueve años.

Carmen se considera a sí misma una copia fiel y exacta de su madre. Pero le ha tomado años tratar de resucitar su herido amor propio que Susana había tratado de destrozar. Nunca le habían permitido ser ella misma, comportarse de la forma en que había sido diseñada para comportarse.

Carmen se ha vuelto a casar y es madre de dos hijos. Hace algunos años visitó a la mejor amiga de su madre, Carla. Cuando Carmen se despidió para irse, Carla comenzó a llorar. «Esto es maravilloso —le dijo—. Eres tan buena madre... Eres todo lo que tu madre quería que fueras».

Esas palabras finales resonaron en la mente de Carmen durante las próximas horas. «Sentí escalofríos —recuerda ella—. Me conmovió pensar que ahora yo podría agradarle a mi madre».

El reflejo en el espejo

Cuando su hijo se mira al espejo, ¿qué ve? No estoy hablando del espejo que está colgado en la pared, estoy hablando del espejo de sus ojos.

Tal vez usted no sea consciente de esto, pero es un espejo.

La otra mañana yo estaba revisando varios cajones, buscando un espejo para mirar el lugar pelado que algunas personas locas dicen que tengo en la parte de atrás de la cabeza. Cuando finalmente encontré el espejo debajo de un montón de rizadores eléctricos, peines, cepillos y horquillas, me miré en él y me sorprendí por un momento. Tenía el espejo del lado que aumenta la imagen, así que mi cara, de tamaño enorme, me estaba mirando a mí.

Con ese lado, noté muchas más imperfecciones y arrugas que con el lado normal (el cual me gusta mucho más). También hizo que mis facciones normales se vieran distorsionadas y repulsivas. Por fortuna, ese lado convexo no me ayudó en nada a encontrar la «parte donde no tengo pelo», así que puedo continuar creyendo que no existe.

Esa es la clase de espejo que los padres y las madres pueden ser para sus hijos, un espejo que exagera las imperfecciones y convierte las facciones bonitas en algo feo. Eso es lo que Susana le reflejó a Carmen. Y puesto que eso fue lo que Carmen vio, es lo que llegó a creer sobre sí misma.

En *The Art of Sensitive Parenting,* Katherine C. Kersey escribió: «Los niños vienen al mundo sin saber quiénes son. Aprenden quiénes son de los que estén a su alrededor».[1] Usted es un espejo en el cual su hijo se mira cada día, y usted le refleja a él lo que va a creer sobre sí mismo. Estas reflexiones son como fotografías de sí mismo que el niño pega en un álbum imaginario, colocando el fundamento para su identidad.

Al principio, su hijo no se puede ver directamente; solo se ve a través de los ojos de la gente importante en su vida. La imagen que una persona tiene de sí misma no se basa en quién es, sino en quién ella *piensa* que es. Y un niño piensa que es lo que su padre y su madre creen que es.

Como padre o madre, usted tiene la elección de reflejar aceptación o rechazo, aprobación o desaprobación. Hasta un punto bastante alto, el que su hijo se sienta querido y sienta que tiene valor depende de lo que ve en su «espejo».

Espejos defectuosos

A medida que ha estudiado el diseño de su hijo o hija, ha aprendido acerca de muchas de las características intrínsecas de su estilo de comportamiento. Así que, ¿qué va a hacer con ese conocimiento?

Me sorprende el número de padres y madres que saben lo que sus hijos pueden hacer bien y, sin embargo, pasan la mayor parte de su tiempo enfocados en los fracasos y las debilidades de sus hijos. Algunas veces los padres y las madres no se dan cuenta de lo que están haciendo, otras es solo un mal hábito.

Otro problema es que algunos padres y madres creen que demasiados halagos va a hacer que un niño sea débil y malcriado. Al igual que con muchas creencias que hay por ahí, esta tiene una pizca de verdad. Los padres y las madres deben tomar la responsabilidad de tratar con las faltas de sus hijos. Y si un hijo recibe una cantidad extrema de alabanza (escuchando de labios de su padre o su madre que siempre es bueno, siempre hace lo correcto y nunca tiene un comportamiento erróneo), tal vez podría crecer siendo malcriado, egoísta y sin principios morales. Tal vez nunca pueda entender su naturaleza pecaminosa y su capacidad de hacer mal.

Es lamentable que algunos padres y madres cristianos se vayan al otro extremo. En sus esfuerzos por ayudar a sus hijos a que traten con sus debilidades, desobediencia y pecado, muy pocas veces les expresan aliento. No existe un equilibrio. Estos niños solo ven el mal que les reflejan su padre y su madre, nunca el bien, así que crecen con una mala imagen de sí mismos y creen que están destinados al fracaso.

«Simplemente no puedo con él»

Luis es un niño «D» alta con una enorme cantidad de energía. No camina, corre. No puede pasar por una puerta sin saltar a tocar la parte de arriba del marco. Es como un meteorito que alumbra el cielo de mañana y no se apaga hasta varias horas después de la hora de acostarse. Su padre y su madre, sin embargo, son más tranquilos y reservados. La madre de Luis es una «S» alta, y su padre es una «C» alta.

Parece que el niño nunca puede hacer nada bien para su padre y su madre. Siempre le están gritando porque corre demasiado o porque habla demasiado alto.

A él le gustaría poder complacerlos más, y ellos quisieran haber tenido un hijo diferente. Por supuesto que nunca se lo han dicho al niño, pero esa es la forma en que él interpreta el reflejo de ellos en cuanto a su comportamiento. En muchas ocasiones, Luis ha oído que su madre les decía a sus amigas: «No sé que vamos a hacer con este niño. Está siempre en movimiento. Simplemente no puedo con él. Me cansa hasta el agotamiento».

Puesto que sabe que no es como sus padres, Luis cree en secreto que hay algo que está mal en él. Su diseño interno no le permite someterse en forma pasiva, así que él se saca sus frustraciones con otros niños. Para cuando llegó al primer grado escolar, ya se ha convertido en mandón y exigente en el patio de recreo. Siempre quiere que las cosas se hagan a su manera y a ninguno de los niños les gusta jugar con él.

Cuando sus padres fueron a hablar con su maestra, ella les dijo que su hijo juega en forma demasiado violenta con otros niños. Que es más bien obstinado y rehúsa seguir instrucciones. «Cuando a su hijo se le mete una idea en la cabeza, no lo puede hacer cambiar. Él tiene su propia manera de hacer las cosas y no escucha razones».

Esa noche, su padre y su madre le dicen a Luis que lo van a castigar si continúa con ese comportamiento, lo cual solo logra que el niño se sienta más sin valor. Y eso hace que actúe peor en la escuela.

Cuando llega a la adolescencia, aprende a canalizar su agresividad y frustración jugando fútbol americano. Llega a ser un destacado apoyador; le encanta derribar a otros jugadores. Cuando llega a su último año en la secundaria, ya ha atraído la atención de los cazatalentos universitarios y recibe una beca para una universidad famosa.

A Luis le agrada mucho que sus padres asistan a sus partidos de fútbol, pero todavía siente que muy pocas veces hace cosas que les agradan. Su padre siempre le está preguntando por sus calificaciones y desearía que el joven leyera más libros.

Él siente que ha triunfado en por lo menos una esfera de su vida, pero un día va a enfrentar una difícil encrucijada en el camino. Va a llegar el momento en que su carrera deportiva llegue a su fin, ya sea por alguna herida, su graduación de la universidad, o su edad. Y cuando eso suceda, y terminen los aplausos, él todavía tendrá esos antiguos reflejos en su mente, las imágenes que vio en los ojos de sus padres. Y las antiguas voces van a regresar diciéndole que no vale nada.

Lo triste acerca de Luis, y de cientos como él, es que percibió que algo estaba mal con la persona «real» dentro de sí. Debido a las presiones que ejercieron sus padres y a las expectativas, esa persona de adentro nunca tuvo la oportunidad de desarrollarse. Él sintió que no lo amaban y aceptaban por quién era en realidad. Al no valorar sus puntos fuertes, sus padres lo empujaron más aun hacia los aspectos negativos de su estilo. Desde temprano en la vida, Luis trató de ser lo que querían sus padres que fuese. Pero esto era imposible, porque al tratar de ocultar quién era, los aspectos negativos de su comportamiento continuaron emergiendo, creando ansiedad para sí mismo y antagonismo hacia los demás.

Afortunadamente, algunos niños como Luis pueden deshacerse de la máscara, pero para otros, la lucha entre el ser real y el «fabricado» puede durar toda la vida.

El poder de las palabras de un padre o una madre

Nuestras prisiones, tribunales y hospitales tratan todos los días con personas que están pagando el precio de espejos que reflejan imágenes deformadas. Una vez escuché la historia de un jugador de béisbol que les habló a un grupo de personas encarceladas. Les contó que todos los días, cuando llegaba de la escuela, lanzaba pelotas de béisbol con su padre. Cuando él tiraba la pelota sobre la cabeza de su padre, este con frecuencia le decía: «Hijo, un día vas a llegar a ser un lanzador de la liga mayor de béisbol».

En otra ocasión, él lazó la pelota y rompió el vidrio de una ventana. Su padre le dijo: «Hijo, con un brazo como este, vas a estar en las ligas mayores algún día». El lanzador les dijo a los encarcelados: «Todo lo que soy hoy, se lo debo a mi padre que creyó que yo podía llegar a ser alguien».

Después de su mensaje, un hombre se le acercó para agradecerle por lo que había contado y le dijo: «Mi padre hizo lo mismo que el suyo, pero constantemente me decía: "Hijo, un día vas a acabar en la cárcel". Creo que cumplí sus expectativas».

La desaprobación paterna y materna, por lo general, lleva a dificultades emocionales y psicológicas de largo alcance. Es más, los libros de historia están llenos de ejemplos del impacto brutal que personas como esas han tenido en el curso de los acontecimientos de la humanidad.

Sin embargo, también puede haber un impacto positivo. En su excelente libro titulado *How to Talk So Kids Will Listen and Listen So Kids Will Talk,* Adel Faber y Elaine Mazlish cuentan la siguiente historia que sucedió después de uno de sus seminarios:

> Una día, hacia el final de la sesión sobre los papeles que representan las personas, un padre comenzó a recordar. Él dijo: «Recuerdo que cuando era niño, solía ir a mi padre con toda clase de maquinaciones descabelladas. Él siempre me escuchaba con seriedad y luego me decía: "Hijo, tal vez

tengas la cabeza en las nubes, pero tienes los pies en la tierra". Y esa imagen que él me dio de mí, de alguien que sueña, pero que también sabe enfrentar la realidad, es la que me ha ayudado a pasar por algunos tiempos difíciles... Me pregunto si alguien más ha tenido una experiencia como la mía». Hubo un profundo silencio mientras todos nosotros comenzamos a indagar en nuestro pasado buscando el mensaje que había marcado nuestras vidas. Lentamente, juntos, comenzamos a recordar en voz alta:

«Cuando era un niño pequeño, mi abuela siempre me decía que yo tenía manos maravillosas. Cuando le enhebraba una aguja o le desataba los nudos en su madeja de lana, siempre me decía que yo tenía "manos de oro". Creo que esa es una de las razones por las que decidí ser dentista».

«Mi primer año en la enseñanza fue abrumador para mí. Cada vez que mi supervisor se presentaba para observar cómo enseñaba, yo temblaba. Siempre me daba una o dos sugerencias y luego agregaba: "Nunca me preocupo por usted, Helena. Básicamente, usted tiene la habilidad de aprender de sus errores". Me pregunto si alguna vez supo la inspiración que esas palabras fueron para mí. Yo pensaba en ellas todos los días. Me ayudaron a creer en mí misma...»

Casi todos en el grupo tuvieron un recuerdo que compartieron. Cuando terminó la sesión, simplemente nos quedamos allí, mirándonos los unos a los otros. El padre que había comenzado a hablar y nos hizo pensar a todos nosotros, movió la cabeza asombrado. Cuando habló, lo hizo por todos: «Nunca menosprecien el valor de sus palabras en la vida de una persona joven».[2]

¿Cuál es la imagen que usted les está reflejando a sus hijos? ¿Qué ve su hijo en sus ojos cuando le habla o lo disciplina? Su espejo no solo ejerce influencia en el amor propio de su hijo, sino también en su comportamiento. Si usted les puede reflejar imágenes positivas a sus hijos, tendrá un gran impacto en lo que ellos lleguen a ser.

En los tres capítulos siguientes le voy a mostrar tres pasos prácticos que puede dar para reflejar imágenes positivas a sus hijos. Creo que verá que estos principios para criar a sus hijos están tal vez entre los más prácticos que haya leído.

NOTAS

1 Katherine C. Kersey, *The Art of Sensitive Parenting* (Herndon, Va.: Acropolis Books, 1983).

2 Adel Faber y Elaine Mazlish, *How to Talk So Kids Will Listen and Listen So Kids Will Talk* (Nueva York: Avon Books, 1980), 224, 225.

CAPÍTULO ONCE

Reflejando los puntos fuertes de su hijo... y sus debilidades

Tal vez Bronson Alcott no haya sido el hombre que proveyó mejor para las necesidades de su familia. Era filósofo y soñador. Pero sabía llegar al corazón de sus hijas y decirles lo especial que eran.

Hace poco encontré una notable carta que les había escrito a sus hijas: Abba, Louisa y Elizabeth. Fue escrita en el año 1842, en la época antes que el teléfono reemplazara el escribir cartas como la forma de comunicación a larga distancia. He cambiado un poco la redacción de esta carta para hacerla de más fácil lectura. A medida que la lee, fíjese en la forma en que este padre demuestra aprobación y alienta a sus hijas.

> Mis queridas hijas:
>
> Pienso en ustedes todos los días, y quiero verlas de nuevo. Abba, con los hermosos ojos amorosos y dulces visiones de gracia, de cabello dorado y tan blanca y delicada...
>
> Louisa, con su prontitud para servir, su agilidad y curiosidad ilimitada, su mente penetrante y su corazón tan tierno, preocupada por todo lo que se mueve y respira...
>
> Elizabeth, con su disposición quieta y amorosa, y sus serenos pensamientos, su gentileza feliz y profundos sentimientos... y también mamá, con un amor que nunca duerme y manos que no descansan, les provee a ustedes las comodidades y las cosas placenteras, quien es su esperanza y ancla, ahora más cercana e importante para ustedes mientras yo me encuentro ausente del hogar.

A todas y cada una de ustedes tengo presentes en la mente. Todos los días las veo en mis pensamientos mientras apoyo la cabeza en la almohada de noche, o me levanto de mañana... no existe nada que pueda ocultar de mis ojos a quienes amo: allí en la pequeña casa de campo, detrás del enorme olmo, con el jardín alrededor, de color frambuesa o las viñas de colores... o el granero de juguete, o las calles o el puente o el riachuelo que serpentea, o Anna o Louisa, que les gusta aprender [y aprenden todo muy bien], y también Elizabeth, y la pequeña Abba, ya sea en el salón, en el estudio, en el dormitorio, en el jardín, tanto con una aguja en sus manos, como un libro o lapicero...

Así que verán, mis queridas hijas, no las olvido. Aunque mi presencia está lejos de ustedes, están en mi mente todo el tiempo. Las escucho, veo, toco y pienso en cada una, la vida que vive en todo lo que ustedes son y hacen, la mente, el corazón, el alma, Dios que vive en ustedes. Ahora, sean amorosas y crezcan cada día más bellamente, para que cuando yo venga a ver mi jardín, las flores perfumen los campos y yo disfrutaré de cada aroma que despiden, en cada color y forma que despliegan. Así, que mis queridas hijas, adiós.

Que mamá lea esta carta con ustedes y hablen con ella mucho sobre lo que aquí les digo, y luego, cada una dele un beso a ella y dense un beso cada una, nuevamente, con todo el amor de su padre.[1]

Este hombre fue un padre que sabía alentar a sus hijas. No solo las alabó, sino que usó frases descriptivas para ayudarlas a ver sus puntos fuertes:

«Abba, con los hermosos ojos amorosos y dulces visiones de gracia...»

«Louisa, con su prontitud para servir, su agilidad y curiosidad ilimitada...»

«Elizabeth, con su disposición quieta y amorosa y sus serenos pensamientos, su gentileza feliz y profundos sentimientos...»

Creo que por lo menos una de estas hijas heredó algo de la habilidad de su padre para soñar, porque años más tarde, Louisa May Alcott tomó a su familia como el modelo para el famoso libro «Mujercitas».

El valor de la alabanza descriptiva

Me gustaría agregarle una nueva frase a su vocabulario: *alabanza descriptiva*. Esta es la técnica que Bronson Alcott uso en su carta, y es una herramienta que he encontrado muy útil para reflejar los puntos fuertes de mis hijos. Es el primer paso práctico que puede dar para ser un espejo positivo para sus hijos.

La alabanza descriptiva es una clase especial de alabanza. Recuerde que la función de un espejo es reflejar la imagen tal cual es. Eso es lo que hace la alabanza descriptiva. Releja el comportamiento de un niño en una forma que le causa sentirse amado y capaz, y le enseña a sentirse bien en cuanto a las cosas que ha hecho.

Con la alabanza descriptiva, usted se concentra más en *quién es la persona*, sus características de comportamiento, en lugar de en *lo que hace*. A la larga, si un niño recibe alabanza por lo que hace, crece basando su amor propio en la manera en que hace las cosas y en cuánto logra alcanzar de lo que se espera de él. En su libro titulado *Bringing Up Kids Without Tearing Them Down*, Kevin Leman escribió: «Muchas personas, tanto adultos como niños, creen que "Si no hago las cosas bien, si no logro metas, si no hago lo que le gusta a la gente, no me van a amar o aceptar. Voy a ser un don nadie"».[2]

Digamos que su hijo toma la iniciativa de limpiar los baños de su casa. En vez de simplemente decirle: «¡Buen trabajo!», use alabanza descriptiva y dígale: «Daniel, vi que limpiaste los baños sin que te lo pidiéramos. Mamá y yo apreciamos mucho lo que hiciste, nos ahorraste mucho trabajo. Y el hecho de que lo hiciste muestra que tienes la habilidad de tomar la iniciativa».

La diferencia es sutil pero importante. Al describir su comportamiento y carácter, le deja saber a su hijo que tiene valor por la forma única en que Dios lo ha diseñado. Esta clase de alabanza ayuda a un niño a conocerse a sí mismo y a sentirse bien en cuanto a los puntos fuertes naturales que Dios le ha dado.

Tres pasos para la alabanza descriptiva

Para comenzar a usar alabanza descriptiva para alentar a sus hijos, le sugiero los tres pasos siguientes:

1. Describa lo que ve. «Norma, he notado que trabajas mucho para mantener tu dormitorio limpio y ordenado».

2. Si es posible, describa cómo se siente usted. «Es un placer entrar a tu dormitorio».

3. Resuma el punto fuerte positivo en una o dos palabras. «Eso es lo que yo llamo ser responsable».[3]

El primer paso ayuda al niño a hacerse una imagen mental de su comportamiento. El cuarto está limpio y ordenado. Las tareas fueron completadas sin que el padre o la madre tuvieran que decirle al niño que las hiciera. El niño ha coloreado un dibujo bonito para usted.

El segundo paso ayuda a su hijo a darse cuenta de cómo su comportamiento puede beneficiar y complacer a otras personas. «Aprecio la forma en que has ordenado y limpiado tu dormitorio». «Me ayuda mucho cuando completas tus tareas escolares sin que te lo tenga que recordar. ¡Gracias!» «Me da mucha alegría saber que has coloreado este dibujo especialmente para mí».

Asignarle un término descriptivo al comportamiento de su hijo ayuda a reforzar dicho comportamiento. La idea es decirle algo que tal vez él no sabe, darle una «fotografía» mental de sí mismo.

Si se usa con consecuencia, la alabanza descriptiva tal vez sea la mejor forma práctica de adiestrar a su hijo de acuerdo con su diseño propio. Le muestra a un niño cuáles son sus puntos fuertes y cómo usarlos en forma constructiva. Por ejemplo:

«Daniel, hoy noté que cuando otros niños comenzaron a burlarse de José, tú lo defendiste. Sé que eso lo hizo sentirse que tú eres su amigo. Demostraste valor al enfrentarte a esos otros niños». (O tal vez pueda decir: «¡Eso es lo que yo llamo ser un verdadero amigo!»)

«Alicia, veo que hacer las cosas correctamente es muy importante para ti. Trabajaste mucho en tu proyecto de ciencia, tratando de que todos los detalles estuvieran en su lugar. Eso es lo que yo llamo *excelencia*».

«Andrés, veo que tú tomas decisiones con mucha rapidez y que te gusta que los demás hagan lo mismo. Eso nos ayuda a que las cosas se hagan en nuestro hogar, yo lo llamo ser *decidido*».

«Isabel, veo que has separado todo los lápices de colorear, los marcadores y los creyones, y los has colocado en cajas diferentes. Muchas gracias por ayudarnos. Eres muy *organizada*».

Cómo comenzar a usar la alabanza descriptiva

Para sus hijos, la alabanza descriptiva puede ser una fuente de aliento para toda la vida. Si toma con seriedad el reflejar los puntos fuertes positivos, tengo cinco sugerencias para usted:

Primero, use frases cortas y «alabanzas de un minuto» para darle aliento a su hijo. A lo largo del día busco oportunidades para describir los puntos fuertes de comportamiento y darles ánimo a mis hijos. A menudo hago comentarios breves tales como: «Tienes mucho dinamismo», o «Tú siempre tratas de hacer lo mejor posible». Fíjese en la sección al final de este capítulo donde encontrará más declaraciones breves que puede usar con su hijo o hija.

Luego busque oportunidades para aumentar los comentarios breves en alabanzas de un minuto. Familiarícese con las características de comportamiento en las que debe fijarse. En el Apéndice A encontrará una herramienta muy útil: «Cuarenta puntos fuertes de comportamiento que puede reflejar a su hijo». He anotado diez puntos fuertes para cada uno de los cuatro estilos primarios. Al pasar más tiempo describiendo lo que ve en su hijo y viendo ese comportamiento como un punto fuerte, su hijo comenzará a entender en forma específica cómo Dios lo ha diseñado de una forma única.

Una amiga mía, que se llama María, ha observado que su hija «S» de once años, Beatriz, a veces demuestra compasión especial por los demás. En una ocasión, la niña asistió al funeral de la abuela de una amiga, e hizo un gran esfuerzo para sentarse al lado de la amiga y tomarla de la mano durante el servicio fúnebre. Otro día, en la pista de patinaje, Beatriz notó que varios niños se reían de alguien que no sabía patinar muy bien. Ella fue a donde estaba esa niña, la ayudó a levantarse y patinó con ella por el resto de la tarde.

María quiere alentar a Beatriz a continuar mostrando compasión por los demás, así que se ha esforzado para brindarle a su hija alabanzas de un minuto a la hora de acostarse: «Beatriz, noté que hiciste un esfuerzo especial para estar con Carla en el funeral. Eso es lo que yo llamo *compasión.* Significa que tienes la habilidad de ser sensible al dolor de otras personas porque tienes un corazón que comprende. Te esfuerzas por ayudar a una persona porque entiendes cómo se siente. A la gente le gusta tener amigos como tú, que muestran compasión por los demás».

Segundo, permita que su hijo lo oiga cuando les habla a las demás personas sobre los puntos fuertes de él. Cuando el abuelo y la abuela vinieron a visitarnos, les dije que Callie era la persona en nuestra familia que no tenía problemas para ir a hablar con el mesero en el restaurante y pedirle lo que necesitábamos. Cuando les dije: «Callie tiene el punto fuerte de ser decidida, eso quiere decir que hace con facilidad lo que otras personas piensan que es incómodo hacer», el rostro de mi hija brilló de deleite. La abuela se quedó impresionada y Callie vio que su comportamiento, que era un punto fuerte natural para ella, era una cualidad positiva.

Tercero, señale aquellas ocasiones cuando su hijo actúa de forma diferente a su carácter. Solo porque algunos comportamientos no le resultan tan naturales a su hijo como otros, no quiere decir que no pueda hacer un esfuerzo especial para aprender esas habilidades. Esta es una función del crecimiento y la madurez. Una persona madura conoce sus puntos fuertes y desarrolla habilidades para compensar sus limitaciones.

Cuando su hijo «D» demuestra sensibilidad, cuando su hijo «I» presta atención a los detalles, cuando su hijo «S» se mueve osadamente a un territorio desconocido, o cuando su hijo «C» toma un riesgo, asegúrese de notarlo y expresárselo. Al hacerlo, su hijo aprenderá a ser más flexible y equilibrado.

Mi hijo Chad, por lo general no presta atención a los detalles. En una ocasión, cuando su madre le pidió que fuera al supermercado y comprara una lata de arvejas, hizo algo que nos sorprendió a todos. Primero buscó la clase de arvejas que por lo general compramos y vio que estaban rebajadas pero eran más caras que otras. Así que tomó la iniciativa de comprar la lata de arvejas más barata.

Karen le dijo: «Te diste cuenta de que las arvejas en venta, tres latas por un dólar, eran en realidad más caras que las que no estaban rebajadas. Eso es lo que yo llamo *prestar atención a los detalles*. Gracias por ahorrarnos dinero».

Cuarto, escríbale a su hijo o hija notas y cartas especiales. A los niños parecen encantarles las notas escritas a mano, tal vez porque las palabras escritas sirven de recordatorio tangible de su amor y de los puntos fuertes de ellos. Muchas personas guardan las cartas y las notas que les dan aliento y las leen y releen muchas veces.

Me gusta usar esas notitas que se pegan sin usar pegamento. Usted las puede colocar en el espejo del baño, en las bolsas de los almuerzos, o en las mesitas de luz en el dormitorio de su hijo.

Una tarde, Kristi (mi hija «C/S» alta) me invitó a que entrara a su dormitorio. Me dijo: «Papá, mira a tu alrededor. ¿Qué ves?» Le contesté: «Kristi, veo que hay un lugar para cada cosa y que cada cosa está en su lugar. Eso es lo que yo llamo *organización*. Estoy gratamente impresionado. Esto nos ayuda mucho a tu madre y a mí».

Más tarde, proseguí con una nota: «Querida Kristi: Veo que dedicas mucho tiempo y energía a que las cosas en tu dormitorio estén en su lugar. Tú eres una persona organizada. Gracias por tu ayuda. Con mi amor, Papá.»

Callie, nuestra hija «S/D» es tímida para algunas cosas, pero cuando hay que realizar una tarea, ella se ofrece de voluntaria enseguida. Descubrimos esto cuando estábamos comiendo en un restaurante local. Se nos habían acabado los panecillos de germen de trigo, y les pedí a ambos, Chad y Kristi, que le pidieran a la mesera que nos trajera más. Ellos se sintieron un poco avergonzados en cuanto a pedirle eso a alguien que no conocían, pero Callie se ofreció a hacerlo de inmediato.

Al día siguiente, le escribí una nota a Callie. Karen se la tuvo que leer, pero logró su cometido. «Querida Callie: He notado que te gusta ofrecerte a hacer cosas que otras personas no quieren hacer. Esto es lo que yo llamo ser *dinámica*. Quiere decir que tú tienes facilidad para hacer algo cuando otras personas vacilan o buscan una salida fácil. Tu buena disposición para buscar el pan anoche nos ayudó a todos. Gracias. Con mi amor, Papá».

Finalmente, dele a su hijo oportunidades para tomar responsabilidades que utilicen sus puntos fuertes. En una vacación reciente al estado de Florida, Estados Unidos, le pedí a Kristi que tomara la responsabilidad de mantener nuestro vehículo organizado. Ella pensó que era una idea fantástica. Les dije a todos los demás que debían seguir sus instrucciones y nosotros hicimos un esfuerzo para felicitarla por sus habilidades organizacionales.

El verano pasado le di a Chad la responsabilidad de cortar el césped. Esto ha resultado bien con su estilo «D», porque le da algo de lo que puede estar en control. Inclusive decide cuándo se debe cortar el pasto. Y me quita una responsabilidad más a mí.

También demuestra su lado creativo. El otro día cuando llegué a casa vi que había cortado en enormes letras «FSU» con un poco de relieve en el césped, ingeniándoselas para que se vieran solamente desde el segundo piso. Desde allí se podían ver claramente las iniciales de la universidad de la que me gradué: «Florida State University». Alabé a Chad por su creatividad y le dije que con una vez bastaba lo de las iniciales en el pasto.

Reflejando los puntos débiles de su hijo

No importa lo mucho que trabaje para animar a su hijo reflejando sus puntos fuertes, no puede evitar el hecho de que él tiene limitaciones, puntos débiles que a usted le preocupan. Es posible que usted enfrente esas debilidades todos los días.

A medida que considera esos puntos débiles, tiene una elección. ¿Lo hará de una forma que lo *aliente* o que lo *desaliente?* ¿Quiere aumentar el amor propio de su hijo o destruirlo?

Piense en los siguientes comentarios que algunos padres y madres les han hecho a sus hijos:

«¿Qué voy a hacer contigo? ¿No te quieres involucrar en algo y lograr algo en la vida?»

«Mira este cuarto. Debes limpiar esta suciedad y desorden. ¿Cómo puedes vivir en este chiquero?»

«Si vas a hacer algo, hazlo bien la primera vez».

«Has hecho un buen trabajo. Pero la próxima vez lo puedes hacer mejor si tan solo...»

En cada caso, el padre o la madre han combinado dos mensajes en uno: Mientras trataban de corregir el comportamiento de su hijo, al mismo tiempo le están diciendo: «No estoy satisfecho contigo. Necesitas ser diferente».

Irónicamente, muchos niños recurren al mal comportamiento para ganar la atención y la aprobación de su padre o madre. Por lo general, cuanto peor es el comportamiento de un niño, mayor es su necesidad de recibir aprobación. Cuanto más retraído y rebelde se vuelve, tanto más necesita ver reflejos de amor y aceptación.

El problema es que este comportamiento es contraproducente. Él ansía profundamente recibir aprobación, pero su comportamiento inapropiado hace que eso sea casi imposible. Así que él sigue y sigue, cavándose su propia fosa.

Debo decir que todos los padres pierden el control algunas veces. Las explosiones ocasionales no dañan en forma permanente, especialmente si usted admite que estuvo equivocado y pide perdón. Pero un niño que recibe reflejos negativos constantes o críticas va a llegar a la siguiente conclusión: «Creo que soy detestable. Si no les gusto a mi padre y a mi madre, ¿a quién le voy a gustar?»

Los puntos fuertes deben ser apoyados, pero hay ciertos comportamientos también que deben ser limitados. Es preciso que nos aseguremos que la imagen que reflejamos a nuestros hijos afirma, aprueba su designio interior. He aquí dos sugerencias:

1. Considere las debilidades de su hijo como puntos fuertes llevados a un extremo. Cada punto fuerte, cuando es usado en forma inapropiada, puede llegar a ser una limitación. A medida que su hijo descubre su inclinación, también necesita aprender que cada punto fuerte tiene un lado opuesto de limitación, el cual debe mantenerse bajo control.

El siguiente gráfico muestra cómo los diferentes puntos fuertes de cada estilo pueden llevar con facilidad a debilidades. (Vea el Apéndice A para mayor información.)

	Punto fuerte	*Limitación correspondiente*
D	Orientado hacia las metas	Impaciente
	Confiado	Autosuficiente
	Competitivo	Ataca primero
	Determinado	Obstinado
	Valiente	Temerario
	Directo, franco	Poco diplomático, sin tacto
I	Entusiasta	Nervioso, emocional
	Buen comunicador	Habla demasiado
	Optimista	Poco realista
	De gran inventiva	Sueña despierto
	Orientado hacia las personas	desorganizado con las cosas y las tareas
	Espontáneo	Impulsivo, indisciplinado
S	Estable	Falto de entusiasmo
	Seguro, firme	Resiste los cambios
	Tranquilo	No se decide
	Agradable	Demasiado complaciente
	Sensible, suave	Fácil de manipular
	Amable	Amabilidad que abruma
C	Analítico	Se preocupa por nimiedades
	Cauteloso	No sociable, desconfiado
	Concienzudo	Se preocupa demasiado
	Normas personales altas	Juzga y critica
	Lucha por la excelencia	Perfeccionista
	Intuitivo, sensible	Se hiere con facilidad por las criticas

2. Encare las debilidades al tiempo que apoya los puntos fuertes. Muéstrele a su hijo cómo, cuando es llevado a un extremo, un punto fuerte puede herir u ofender a otras personas o crearle problemas a él mismo. En lugar de ser algo útil, el punto fuerte puede convertirse en algo que hiere.

«Jorge ("D"), veo que juegas muy duro para ganar. Eso es ser una persona *competitiva. Algo que querrás recordar* es que a veces, una persona competitiva puede atacar a la gente con demasiada agresividad en situaciones que no se suponen que sean competitivas».

«Elizabeth ("I"), me doy cuenta de que a ti te gusta la gente y que quieres que las personas gusten de ti. *Algo que debes tener presente* es que algunas veces eso puede alejarte de hacer lo que es correcto».

«Samuel ("S"), es fácil ver que te esfuerzas por llevarte bien con todo el mundo. *Recuerda que hay momentos cuando el ceder puede ocasionar que la gente se aproveche de ti»*.

«Andrea ("C"), sé que consideras todo lo que haces con sumo cuidado. *A veces, cuando este punto fuerte es llevado más allá del equilibrio,* las personas pueden sentir que te importa más el trabajo que ellas».

Cuando usted corrige algún comportamiento de esta forma, es importante que no use las palabras «pero» y «sin embargo», como en: «Carlos, tú tienes normas altas, *pero* eso puede hacer que otros sientan que no están a tu altura». Si usted afirma un punto fuerte y luego usa «pero», va a negar el punto fuerte.

Utilice frases tales como «Algo que debes recordar», o «Algo que debes tener presente», o «Algunas veces ese punto fuerte se puede convertir en una debilidad». Esto le enseña a su hijo la relación entre el punto fuerte y la debilidad, sin negar el punto fuerte.

Los niños entienden más de lo que creemos

Hace algunos años, mi hijo Chad («C» participó en una discusión grande con su madre. Él estaba perdiendo el tiempo e iba a perder el autobús escolar. A medida que mi esposa se sentía más y más frustrada, tratando de motivarlo para que terminara de prepararse, Chad le respondió con algunos comentarios irrespetuosos.

Karen fue muy directa con él y le dijo que no lo dejaría salir después que regresara de la escuela por la forma en que le había hablado. Eso es lo que ella necesitaba hacer. En el calor de una discusión, por lo general, el padre o la madre deben usar un estilo directivo, determinado, para traer bajo control el conflicto. Cuanto más emocional sea su hijo, menos podrá razonar con él. La lógica no va a vencer a la emoción.

Yo oí por casualidad la conversación desde el baño, y aunque Karen había disciplinado a Chad, quería hablar con él más tarde. Sentí que tenía que hablar sobre ese comportamiento en un momento cuando las emociones no estuvieran tan elevadas.

Esa noche, mientras Chad y yo estábamos recostados en su cama, le mencioné el conflicto que había sucedido esa mañana. Quería que él entendiera que la razón por la cual era disciplinado con tanta frecuencia era por su insensibilidad, que resultaba de extender demasiado un punto fuerte que Dios le había dado.

Le dije: —¿Sabes? Uno de los puntos más fuertes que Dios te ha dado es que tú dices exactamente lo que piensas. Eso se llama ser *directo* con la gente. Eso puede ayudar a las personas porque nunca se tienen que preguntar dónde están contigo, porque tú se lo dirás.

»Algo que debes recordar es que cada punto fuerte puede ser usado de una manera que hiera, en lugar de ser algo útil, provechoso. Cuando tú nos dices exactamente lo que piensas a tu madre o a mí, o a cualquier adulto, puede parecer irrespetuoso. O si tú les dices exactamente lo que piensas a tus amigos, ellos pueden pensar que eres irrespetuoso.

Me pregunté si él estaba recibiendo lo que yo le decía, así que le dije:

—¿Entiendes lo que te estoy diciendo en cuanto a los puntos fuertes y las debilidades?

—Creo que sí —me respondió él.

—Bueno, explícame para que yo entienda lo que tú estás oyendo.

Entonces Chad me dijo:

—Creo que es algo como el hielo seco.

¿Hielo seco? —pensé—. *¿Qué es esto? ¿Adónde va este niño?*

—Sí, hielo seco —dijo Chad—. Es algo muy bueno porque mantiene las cosas muy frías. Pero si lo tomas en tus manos, te quemará.

¡Qué maravilla!

Hielo seco... él había hecho la conexión. Esa ilustración ha proporcionado la base para muchas otras conversaciones sobre los puntos fuertes y las debilidades. En cada caso, Chad ve con toda claridad la necesidad de cambiar su comportamiento, pero al mismo tiempo se siente alentado porque entiende por qué actúa como lo hace. Yo no le estoy diciendo a él que deje de ser como es y que sea como otra persona. Lo estoy adiestrando para que mantenga sus puntos fuertes naturales en equilibrio.

En el próximo capítulo voy a hablar sobre otro aspecto del «principio de reflejar»: reflejando las emociones de un niño.

FRASES CORTAS QUE PUEDE USAR PARA REFLEJAR LOS PUNTOS FUERTES DE SU HIJO

PARA LOS HIJOS «D»

Tú eres una persona determinada.
Tienes confianza en ti mismo.
Tienes ideas firmes en cuanto a las cosas.
No te despistas con facilidad.
A ti no te pueden empujar a hacer algo que no quieres hacer.
Dices exactamente lo que piensas.
Cuando decides hacer algo, lo haces con todo lo que tienes.
Te sientes capaz de manejar las cosas por ti mismo.
Cuando algo te interesa, no vacilas en hacerlo.
Eres una persona determinada y decidida.
Eres dinámico.
Eres independiente y capaz.
Enfrentas situaciones nuevas sin temor.
Eres rápido para responder a una situación y buscar una solución.
Sabes lo que quieres y te mueves para conseguirlo.
Juegas con intensidad para ganar.
Puedes tomar una decisión sin consultar a otras personas.
Tienes una manera muy franca de expresar exactamente lo que sientes en cuanto a las cosas.
Te gusta obtener resultados cuando haces algo.
Tienes mucho dinamismo.
Tienes una voluntad fuerte.
Eres sincero con las personas.
Necesitas realizar alguna actividad física para «recargar» tus baterías.

PARA LOS HIJOS «I»

Eres una persona sociable.
Tienes mucho entusiasmo y es contagioso.
Quieres tener relaciones positivas con la gente.
Tienes un sentido del humor maravilloso.
Te das cuenta de todo lo que sucede a tu alrededor.
Estás ansioso de participar en todo lo que sucede a tu alrededor.
Tienes una imaginación muy creativa.
Quieres gustarle a la gente.
Eres muy flexible.
Estás lleno de sorpresas.
Tienes mucha energía.
Necesitas estar activo y moverte.
A ti en verdad te gusta la gente y quieres que la gente guste de ti.
A ti te gusta mucho estar con la gente.
Haces que las personas se sientan cómodas.
Pareces buscar lo mejor en la gente y en las situaciones.
No parecen preocuparte los cabos sueltos ni los detalles.
Tienes un espíritu feliz.
Es agradable estar contigo.
Tienes facilidad para expresarte.
Compartes tus pensamientos y sentimientos con facilidad.
Tienes una habilidad singular para motivar a la gente.
Tienes habilidad para relatar historias.
Tienes un don muy especial para expresar tus pensamientos, opiniones y sentimientos.
Las palabras parecen venirte con facilidad.
Eres una persona persuasiva.
El estar alrededor de la gente parece recargar tus baterías.

PARA LOS HIJOS «S»

Estableces relaciones profundas y duraderas.
Te preocupas por los demás.
Aceptas a las personas.
Puedes sentir las heridas y las tensiones de los demás.
Te gusta observar antes de participar.

Te gusta verificar las cosas antes de hacerlas.
Necesitas saber lo que se espera.
El cambio es difícil para ti. Eso está bien.
Es fácil hablar contigo.
Te gusta saber cómo se hace una cosa. Te gusta que te expliquen los procedimientos paso a paso.
No te apresuras a tomar decisiones.
Te gusta que las cosas se mantengan igual.
Continúas con las cosas que sabes que dan buen resultado.
Tomas tiempo para hacer las cosas paso a paso.
Pareces esforzarte para llevarte bien con todo el mundo.
Eres un buen oidor.
Eres compasivo por naturaleza y tienes un corazón tierno.
Te gusta seguir un proyecto hasta completarlo.
Pareces ser una persona muy sensible.
Parece que no te gustan los conflictos o atizar el fuego.
Das la impresión de ser una persona calmada, tranquila.
Tienes la habilidad de ejercer una influencia pacífica en la gente.
No pareces sentirte presionado por el tiempo.
Eres una persona confiada.
Te gusta darle a la gente el beneficio de la duda.
Necesitas tiempo solo para recargar tus baterías.

PARA LOS HIJOS «C»

Tiendes a ser una persona quieta, callada.
Tienes normas altas.
Siempre tratas de hacer el mejor trabajo posible.
Prestas atención a lo que otros dicen y sienten.
Te gusta que las cosas estén organizadas.
Haces las cosas con precisión y en forma correcta.
Te gusta entender lo más posible acerca de lo que estás planeando hacer.
Te gusta hacer las cosas de forma lógica.
Parece que pesas las cosas con cuidado.
Eres un buen evaluador.
Te gusta pensar en las cosas y luego tomar una decisión.

Eres una persona seria. Eso no quiere decir que no eres feliz.
Piensas las cosas a fondo.
Te gusta que todo esté «correcto».
Tienes una mente que formula preguntas.
Estás muy al tanto con lo que sucede a tu alrededor.
Te interesan los detalles clave.
Te gusta pasar tiempo solo.
Necesitas tiempo a solas para recargar tus baterías.

NOTAS

1 Alexandra Towle, ed., *Fathers* (New York: Simon and Schuster, Watermark Press, 1986), 36-37.

2 Kevin Leman, *Bringing Up Kids Without Tearing Them Down* (Nueva York: Delacorte Press, 1993), 169. El capítulo del doctor Leman titulado "La importante diferencia entre la alabanza y el aliento" hace eco de los principios que comparto aquí. Él prefiere usar el término aliento, yo prefiero usar alabanza descriptiva.

3 Adele Faber y Elaine Mazlish, *How to Talk So Kids Will Listen and Listen So Kids Will Talk* (Nueva York: Avon Books, 1980), 186.

CAPÍTULO DOCE

Reflejando las emociones de su hijo

Por lo general, Ana saca notas excelentes en la escuela y trae a su hogar muy buenas tarjetas de calificaciones. Pero un día ella llega a su casa con una mirada de tristeza y desconsuelo. Con renuencia, le entrega a su madre su tarjeta de calificaciones que recién había recibido.

Madre: «¿Qué sucede, Ana?»

Ana: «Algo malo».

Madre: «Veamos, Ana, no veo ningún problema. Esta es una tarjeta de calificaciones muy buena».

Ana: «No, no lo es. Saqué una B en ciencia».

Madre: «Pero sacaste una A en historia, una A en matemáticas, una A en lenguaje y una A en inglés. Te está yendo muy bien en todas las materias. No hay necesidad de que estés tan disgustada».

Ana: «Mamá, saqué solo una B en ciencia e inclusive hice un proyecto adicional para crédito adicional».

Madre: «Tal vez tu profesor de ciencia es más estricto que tus otros profesores. Estás llevando esto a un extremo».

¿Le parece conocido? Debería, porque con demasiada frecuencia tratamos de hacer que nuestros hijos no se sientan como se sienten. Sería gracioso si no fuera trágico.

Hijo: «Mamá, estoy cansado».

Madre: «No es posible que estés cansado. Anoche te acostaste temprano y no te levantaste hasta las nueve de la mañana».

Hijo: «Pero estoy cansado».

Madre: «No, no lo estás. Ahora, prepara todas tus cosas porque tenemos que salir».

Hijo (llorando): «¡ESTOY CANSANDO *y* NO QUIERO IR!»

Cuando un niño se cae y raspa la rodilla, sabemos lo que tenemos que hacer. Vamos a limpiar la herida y cubrirla con una venda adhesiva. Es mucho más difícil cuando un niño viene a nosotros con heridas emocionales.

Tratamos de hablarles usando lógica para que dejen de sentirse como se sienten, razonando y negando. Estas respuestas logran que nuestros hijos sientan que no están siendo escuchados. Cuando se sienten incomprendidos, es posible que transfieran su enojo o dolor a nosotros. ¿Podría ser esto a lo que el apóstol Pablo se refería cuando exhortó a los padres a no provocar a ira a sus hijos (Efesios 6:4)?

Hija: «Odio a Daniel. Desde que él llegó a nuestra familia, ya no me divierto».

Padre: «Es terrible que digas eso de tu hermanito. No deberías decir cosas como esas. Sabes bien que no es lo que sientes».

Hija: «Sí; lo odio, quisiera que nunca hubiera nacido».

Padre: «No quiero oírte decir nada como eso nunca más, jovencita. ¿Me entiendes? Contéstame».

Hija: «¡Sí!» (Sale taconeando del cuarto, conteniendo su enojo.)

En todos estos ejemplos, el padre o la madre trata de contradecir cómo se siente el hijo por medio de la negación y el razonamiento. El padre o la madre quiere arreglar el problema y en el proceso niega los sentimientos del hijo.

Nuestro enfoque total de cómo tratamos con los sentimientos de nuestros hijos necesita mejorar. Mucha gente crece sin ningún adiestramiento sobre cómo manejar y expresar sus emociones.

Cuando su hijo se mira en el espejo de sus ojos, necesita ver allí un relejo honesto de las emociones que experimenta. Este es el primer paso para mostrarle cómo tratar con esas emociones y es el paso que demasiados padres omiten.

LAS EMOCIONES SON PARTE DE LA VIDA

Me siento un poco tonto al decir algo tan obvio, pero es necesario que lo haga. No podemos evitar sentir emociones. Son parte de nosotros. El problema es que muchos de nosotros no sabemos *qué hacer* con esas emociones.

Algunas veces somos felices y otras veces no. A veces nos sentimos confundidos en cuanto a cómo nos sentimos. Algunas veces decimos cosas que en realidad no queremos decir. Otras nos sentimos de cierta manera y tal vez no sea lógico.

Cuando una persona emocionalmente madura experimenta un sentimiento negativo, a alguna altura, la persona es capaz de retroceder y pensar detenidamente en qué fue lo que la hizo sentir de esa manera. Entonces decidirá los pasos que debe tomar para mejorar su actitud o su situación.

Si la persona se enoja con su hijo, más tarde se formulará preguntas como las siguientes: *¿Por qué estaba tan enojada? ¿Estaba equivocado mi hijo? ¿Estaba equivocada yo? ¿Qué podría haber hecho en forma diferente?* Entonces la persona llegará a algunas conclusiones y tomará ciertos pasos para actuar diferente en el futuro.

Pero digamos que mientras que esa persona siente mucho enojo, ella habla con una amistad íntima que le dice: «No te deberías sentir así. ¡Tú eres la que tiene más culpa en este asunto!»

Esta clase de declaración solo va a intensificar el enojo de la persona. Entonces se enoja no solo con su hijo, sino también con la amiga que no la comprende. Ella no quiere escuchar lógica, es más, no pude oír la lógica porque sus emociones le están nublando la mente. Entonces va a hablarle fuertemente a su amiga, y le llevará más tiempo llegar al punto en que pueda pensar con claridad de nuevo.

Eso es lo que pasa con muchos niños. Muchos padres les dicen a sus hijos, en forma directa o indirecta, que ciertas emociones no son aceptables. Cuando tienen miedo, les dicen que no hay nada que deban temer. Cuando se sienten doloridos y lloran, les dicen: «Sé valiente y sécate las lágrimas», o «Esa pequeña raspadura no te puede doler tanto».

El sentirse incomprendido es una de las emociones más desalentadoras de la vida. Las palabras de un poeta anónimo describen trágicamente lo que puede ser una familia típica:

Dos personas que saben que no se entienden mutuamente,
crían hijos que no se entienden
y quienes jamás los entenderán a ellos.

Triste pero cierto. Cuando usted comunica sus sentimientos, quiere ser escuchado con comprensión, quiere que alguien acepte cómo se siente sin juzgarlo. Quiere tiempo para procesar sus emociones antes de sentarse a pensr en una solución en forma lógica. Pero muchas veces los padres y las madres responden a los sentimientos de sus hijos de forma opuesta a la que ellos querrían que los trataran en circunstancias similares. Si usted les va a «hacer a sus hijos como le gustaría que los demás le hagan a usted», es necesario que tenga un plan que le permita tratar con los sentimientos de sus hijos de la manera en que le gustaría ser tratado en una situación similar

¿Muestra apatía, compasión o empatía?

Para ayudar a su hijo a manejar sus emociones es importante que desarrolle la habilidad de mostrar *empatía*. La empatía es escuchar con el corazón como así también con los oídos. Cuando muestra empatía, le está diciendo a su hijo que entiende cómo se siente.

Tal vez una forma buena de entender la empatía es verla en una comparación.[1]

Apatía	Empatía	Compasión
No me importa	Parece que en realidad tienes miedo de dejar a tus amigos.	Lo siento, pobrecito.

La *apatía* se define como una «falta de comprensión emocional, o falta de interés o preocupación». Cuando me siento apático, no me involucro. Los padres y las madres pueden estar tan ocupados con sus preocupaciones que les envían a sus hijos mensajes que estos interpretan como: «No me importa».

Cuando su hijo expresa sus sentimientos y recibe poca o ninguna respuesta, cuando se le da una contestación rápida, con una frase gastada, tal como: «Estoy seguro de que todo va a salir bien. Ahora ve afuera a jugar», él piensa: «A mis padres no les importa. No me aman».

En el lado opuesto del espectro se encuentra la compasión. La compasión se define como «sentir» por otra persona. Cuando muestro compasión, me involucro demasiado en las emociones de la persona. Respondo de una forma efusiva que puede interpretarse como condescendiente. La gente no quiere recibir lástima, quiere recibir comprensión.

Escuchar con *empatía* significa «sentir con» la otra persona, pero mantenerse separado. Esto es a lo que se refiere el apóstol Pablo en Romanos 12:15 cuando dice: «Alégrense con los que están alegres; lloren con los que lloran». El individuo que demuestra empatía siente las heridas de alguien, pero no se siente paralizado por ese dolor. Dicho individuo tiene la capacidad de sentir el dolor, el miedo, la desilusión, la irritación o la frustración de alguien como si fuera de él, pero se mantiene lo suficientemente separado como para ayudar y alentar.

Por ejemplo, cuando...

- Su hijo «D» alta se muestra impaciente o enojado;
- Su hija «I» alta está herida porque no la invitaron a la fiesta de alguien;
- Su hijo «S» alta se preocupa por su primer día de clases en una escuela nueva;
- Su hija «C» alta parece estar preocupada en exceso porque se equivocó en una nota en su solo de clarinete en la banda de la escuela;

... ¿cómo responde usted? He aquí algunas posibilidades:

Negación: «Estás disgustado por una nimiedad. Olvídalo y sigue adelante».

Optimismo: «Mírale el lado bueno».

Consejo: «¿Sabes lo que creo que deberías hacer?»

Culpa: «¿Estás segura de que no es culpa tuya? ¿Qué hiciste para causar esto?»

Lástima: «Oh, pobrecito, siento tanta lástima por ti».

Sermón: «Esto no habría sucedido si tú hubieras...»

Empatía: «Me doy cuenta que estás ____________ (enojado, irritado, molesto, herido, avergonzado, triste, con miedo, disgustado, preocupado, inquieto, desilusionado). Creo que me sentiría de la misma manera si eso me pasara a mí».[2]

Tenga presente que su estilo de comportamiento puede obstaculizar su habilidad de mostrar empatía con su hijo. El padre o la madre *directivo,* por ejemplo, tiende a dar una orden directa y rápida en su intento de arreglar la situación y a la persona a la vez. A este padre o madre tal vez le cueste mucho identificarse con la necesidad de su hijo «I» de ser aceptado por sus compañeros.

El padre o la madre *interactivo* a menudo rechaza la preocupación de su hijo diciéndole con optimismo: «¡No lo tomes tan en serio! No te preocupes, todo va a salir bien». Puesto que este padre o madre no es orientado hacia los detalles, es probable que tenga dificultades para entender la confusión interior de un hijo «C» cuando las cosas no le salen justo como las quiere. Es posible que un hijo interprete apáticas las respuestas rápidas de los padres y las madres «I» y «D».

El padre o la madre que *sostiene, apoya,* tiene la habilidad natural mayor para mostrar empatía, pero tal vez lleve esa habilidad demasiado lejos y en cambio demuestre compasión. Es posible que pierda la habilidad de separar sus propios sentimientos de los de la otra persona. Al mismo tiempo tal vez no entienda cómo un hijo «D» puede enojarse tan rápidamente. Un padre o madre «S», que es paciente, no puede identificarse con tal impaciencia.

El padre o la madre *disciplinario* tal vez tenga dificultades para no dar consejos o analizar demasiado cada situación para corregir los problemas de su hijo. Lo enfatizo, esto puede percibirse como frío o desapegado. La naturaleza cautelosa de un padre o una madre «C» (la que podría ser expresada como pesimismo) no se pude identificar con las emociones positivas de un hijo «I» que toma todo como viene.

A algunos de ustedes tal vez les resulte más fácil demostrarles empatía a su hijo. Pero la empatía es una habilidad que se puede aprender. Tengo tres pasos simples para ayudarle.

Paso uno: ¡Escuche!

Cuando usted está triste, enojado, deprimido o confundido, a veces lo único que necesita es alguien que lo escuche. Quiere una persona que lo escuche expresar su problema si darle ningún consejo o reflejarle desaprobación o juicio.

Permita que su hijo le exprese sus sentimientos sin juzgarlo. Resista darle la respuesta a su problema. A menudo, todo lo que su hijo necesita es saber que usted se preocupa lo suficiente como para tomarse el tiempo de escucharlo.

Dígale que le cuente todo lo que ha pasado. Tal vez usted deba formular preguntas para sonsacarle algo: ¿Qué sucedió? ¿Qué dijiste? ¿Cómo te hizo sentir eso? Tenga cuidado de que esto no se perciba como una interrogación.

Paso dos: Acepte y refleje los sentimientos de su hijo sin juzgarlo

De nuevo, haga esto sirviendo de espejo, no solo de los puntos fuertes de su hijo, sino también de las emociones de él. Esta es otra forma de adiestrar a su hijo de acuerdo con sus inclinaciones. Cada estilo tiene una formación emocional característica que tiende a ser consecuente y es preciso que comprendamos cómo la forma de ser de cada persona afecta cómo se siente.

Admita las emociones que ve en su hijo, sin evaluarlas o distorsionarlas. Describa los sentimientos que ve:

«¡Vaya! Estás muy *enojado* por haber perdido el partido».

«Parece que estás muy *frustrado* con tus amigos».

También es importante describir el grado correcto de la emoción. Usted puede comunicar la intensidad del sentimiento agregándole adverbios a sus descripciones.

«Te sientes un *poco* triste porque tus amigos no te invitaron».

«Te sientes *bastante* triste porque tus amigos te dejaron de lado».

«Te sientes *muy* triste porque tus amigos no te incluyeron».

«Te sientes *profundamente* triste porque tus amigos no te invitaron».

Haim G. Ginott señala que estas respuestas que reflejan, ayudan a los niños (y también a los adultos) a llegar a ser conscientes de su mundo interior de las emociones.

> ¿Cómo podemos ayudar a un niño a que conozca sus sentimientos? Lo podemos hacer siendo un espejo de sus emociones. Un niño aprende cómo se ve físicamente viendo su imagen en el espejo. Aprende en cuanto a cómo es emocionalmente escuchando sus sentimientos reflejados en nosotros...

> La función de un espejo emocional es reflejar los sentimientos tal como son, sin distorsión:
>
> «Parece que estás muy enojado».
>
> «Suena como que lo odias mucho».
>
> «Parece que estás disgustado con todo eso».
>
> Para un niño que tiene estos sentimientos, esas declaraciones le ayudan mucho. Le muestran con claridad lo que son sus sentimientos. La claridad de la imagen, ya sea mirándonos a un espejo de vidrio o a un espejo emocional, provee la oportunidad de «arreglos autoiniciados» y de cambio.[3]

Cuando usted reconoce los sentimientos de su hijo, no repita las mismas palabras que usa él. Si las repite, se va a dar cuenta de lo que usted hace y va a dudar de su sinceridad.

El repetir las cosas diciéndolas de otra manera puede ser la mejor manera de que su hijo comparta con usted, sin ponerlo a la defensiva. Al poner los sentimientos de su hijo en palabras, lo ayuda a comprender mejor cómo se siente él.

También podemos llamar a las emociones de nuestro hijo por sus nombres. Cuando las amigas de Callie no la invitaron a participar en un club que formaron, le dije: «Seguro que te sientes enojada y desilusionada». Cuando los compañeros de clase de Josué se burlaron al verlo con los aparatos que le había colocado el ortodoncista para enderezarle los dientes, su madre le dijo: «Te habrás sentido avergonzado».

Cuando usted nombra las emociones de sus hijos con el nombre que tienen, les está reflejando a ellos, para que aprendan que sus emociones son normales y aceptables. También les ayuda a saber que entendemos cómo se sienten. Este paso puede ser todo lo que un niño necesita para tratar con sus emociones.

Hace poco estaba de visita en una casa y escuché a una pareja hacerle bromas a su hijo de diez años, sobre una niña que había conocido en la escuela. Más tarde la hermana del niño vino y dijo que su hermano estaba llorando porque le habían herido los sentimientos.

El padre se podría haber reído y dicho: «Bueno, eso es lo que pasa con los niños; necesitan aprender a tratar los asuntos del sexo opuesto». Le podría haber dicho a su hijo: «No te debes sentir herido, solo estábamos bromeando. Necesitas aprender a recibir una broma».

Pero ese padre pudo entender cómo se sentía su hijo. Los niños de esa edad están comenzando a desarrollar interés en las niñas y se sienten torpes e inclusive temerosos alrededor de ellas. Así que este padre fue al dormitorio de su hijo y lo encontró acostado llorando.

—Duele mucho cuando la gente se ríe de ti, ¿no es verdad? —le preguntó el padre.

—Sí, saben que no me gusta que me hagan bromas, y especialmente con niñas —respondió el hijo.

—Te dio vergüenza, ¿verdad? A mí tampoco me gusta que me hagan bromas.

Y con eso, las lágrimas comenzaron a desaparecer. El niño supo que su padre comprendió cómo se sentía, y eso lo hizo sentirse mejor.

Paso tres: Si es necesario «vuelva» a la emoción más tarde y hable sobre ella

En muchos casos no va a ser necesario que dé este paso. Pero con problemas grandes o después de demostraciones extremas de emoción, querrá hablar más tarde con su hijo acerca del asunto. Hágalo después que las emociones se han calmado y que el niño tiene la cabeza clara. Entonces va a ser más receptivo para hablar.

Ahora es cuando usted puede razonar con su hijo, señalarle algunos versículos bíblicos, y buscar qué es lo que le está causando el problema. Formúlele preguntas como las siguientes:

«¿Qué has aprendido de la experiencia?»

«¿Cómo manejarías las cosas en forma diferente la próxima vez?»

«¿Qué piensas en cuanto a tu actitud?»

«¿Necesitas pedirle perdón a alguien?»

«¿Qué te puede enseñar el Señor a través de esta experiencia?»

En la boca

Al pensar en esta sección, recordé cómo Dios había tratado con uno de sus hijos de una manera similar. Cuando Dios le pidió a Jonás que fuera a Nínive, él no lo quiso hacer. Lo que hizo fue que se embarcó en una nave que iba en la dirección opuesta a Nínive y se escondió en el fondo del barco.

Creo que Jonás debe haber sido una «C» hasta la médula. Dios le dio lo que necesitaba, tiempo en privado para tratar con su temor y confusión emocional. El viaje de Jonás «al fondo del mar», en el estómago de un gran pez, le proporcionó tiempo para volver a considerar la invitación de Dios de confrontar a los ninivitas y pedirles que se arrepintieran.

Con su desembarco anfibio en la playa, Jonás no perdió ni un segundo y presentó su mensaje con toda exactitud. «En cuarenta días Nínive será destruida».

Debe haber sido un choque para Jonás ver que los habitantes de esa malvada ciudad escucharon su mensaje y se humillaron en arrepentimiento delante de Dios. Cuando Dios vio que se apartaron de sus malvados caminos, no los destruyó.

Así que todo terminó felizmente, ¿no es verdad? No. No se había hecho justicia. Jonás pensó que les había resultado demasiado fácil. El texto bíblico dice: «Pero esto disgustó mucho a Jonás y lo hizo enfurecerse» (Jonás 4:1).

Jonás pasó más tiempo solo. Se fue a acampar y comenzó a preocuparse. Se deprimió tanto que le pidió a Dios que le quitara la vida.

Dios le formuló la pregunta: «¿Tienes razón de enfurecerte tanto?» Eso fue todo. No le dio ni un discurso ni un sermón. Le dio tiempo a Jonás para que analizara su condición emocional y la pregunta.

La condición emocional de Jonás empeoró. Construyó una pequeña enramada al este de Nínive y se sentó allí para ver qué le pasaba a la ciudad. Dios permitió que el profeta se sentara y dispuso que una planta creciera para que le diera sombra durante las horas de intenso calor del día. Eso alegró a Jonás. Las cosas estaban mejorando.

Pero Dios permitió que un gusano atacara a la planta y esta se secó y murió. Ahora Jonás estaba más enojado que nunca. Estaba enojado con los ninivitas, enojado con Dios, enojado con el gusano. Nada le estaba saliendo «bien». Así que nuevamente entonó su triste canción: «¡Prefiero morir que seguir viviendo!»

¿Cómo trató Dios con Jonás? Dios le formuló una pregunta para tratar con el enojo del profeta. «¿Tienes razón para enfurecerte tanto por la planta?» Jonás le respondió: «¡Claro que la tengo! ¡Me muero de rabia!»

Entonces Dios le formuló otra pregunta que decía lo siguiente: «Si tú tuviste compasión de una planta, ¿no habría yo de compadecerme de ciento veinte mil niños?»

Y ahí termina el relato. No sabemos cuál fue la respuesta de Jonás.

Lo que me llama la atención de esta historia es que Dios no se apresuró a tratar de hablarle a Jonás para que cambiara sus sentimientos, aun cuando estos eran injustificados. A través del libro, Dios se mantuvo al lado de Jonás para enseñarle la manera correcta de vivir, pero Él no tuvo apuro para rectificar su comportamiento. De un pez grande a un gusano, Dios permitió que el tiempo fuera parte del proceso de tratar de que Jonás volviera a sus cabales. Así es como Dios trata con sus hijos que están emocionalmente confundidos.

Los niños no pueden hacer nada por la manera en que se sienten. Pero es importante que sepan lo que sienten y por qué lo sienten. Cuando entienden y aceptan sus sentimientos, es menos probable que se sientan confundidos interiormente. También es menos probable que se sientan mal en cuanto a usted por no entenderlos.

Reacciones emocionales típicas de cada estilo de comportamiento

Acontecimientos diferentes van a provocar reacciones diferentes en cada uno de los estilos DISC. Así como los puntos fuertes y las debilidades se relacionan, también nuestros temores y nuestras metas están relacionados.

Cualquiera que sean las metas de una persona en la vida, su temor mayor es no alcanzar esas metas. Cuando las metas están obstruidas, cada estilo tiene su propia respuesta emocional y sus comportamientos correspondientes.

La meta del estilo «D» es obtener resultados. A esta persona le gusta estar en control, y quiere elecciones y desafíos. Si esas metas están obstruidas, un individuo «D» se enojará, se volverá impaciente, exigente y tajante. Estimulada por el enojo, la persona «D» persistirá en pelear por lo que quiere y será insensible a las necesidades de los demás.

La meta del individuo «I» es divertirse y que las personas gusten de él. Quiere atención y aprobación. Su temor mayor, entonces, es perder la aprobación: que la gente no guste de él, o que lo dejen de lado en cuanto a las actividades sociales del momento. Cuando una «I» siente rechazo, su barómetro emocional irá de un extremo al otro, de explosiones de enojo, que vienen en la forma de ataques personales verbales («Tú odias a mis amigos»), a las quejas y la depresión. Es fácil para una «I» agotar su «cuenta bancaria emocional».

La meta de una «S» es mantener las cosas en paz y sin cambios. Su temor es perder la estabilidad y la seguridad, así que los cambios repentinos y sin planear pueden causarle mucha angustia. El individuo «S» puede caer preso de la tristeza, y como resultado, cejar y encerrarse en sí mismo. Tiende a aferrarse a los sentimientos heridos.

La persona «C» busca estar en lo «correcto». Cualquier cosa que «firma», quiere que esté bien hecha. Su temor mayor es cometer errores o hacer menos de que puede hacer. Sus emociones son complejas y profundas. La mayor parte del tiempo el individuo «C» es controlado, reservado y parece no tener emociones. Sin embargo, muy adentro, puede estar ansioso, preocupado y deprimido.

NOTAS

1 Adaptado del libro de Robert Bolton titulado *People skills* (New York: Simon and Schuster, A Touchstone Book, 1979), 270-271

2 Adaptado del libro de Faber y Mazlish titulado *How to Talk so Kids Will Listen and Listen So Kids will Talk,* 5-8. Los autores destacan ocho maneras ineficaces en que la gente trata con los sentimientos negativos.

3 Haim G. Ginott, *Between Parent and Child: New Solutions to Old Problems* (Nueva York: Mcmillan, 1965),

CAPÍTULO TRECE

Mantenga su copa de amor llena

Hace algunos años, mientras manejaba desde la oficina hacia mi casa, escuché una canción vieja titulada «La copa de amor». El coro decía algo como esto: «Todo el mundo busca con desesperación llenar su copa de amor».

Algo en esas palabras me impresionó aquella noche. Cuando llegué a mi hogar, les dije a todos en mi familia que Dios nos había creado con una copa de amor en nuestro corazón. Cuando esa copa está llena, nos sentimos felices y amados, y actuamos en forma feliz. Cuando nuestra copa de amor está vacía o se encuentra baja, nos sentimos tristes y actuamos tristes.

Continué explicándoles que cuando los miembros de una familia se aman, mantienen las copas de amor llenas los unos de los otros. Esa noche comenzamos una tradición en el hogar de la familia Boyd, una pregunta que nos formularíamos unos a otros todos los días: «¿A qué altura está tu copa de amor hoy?»

Cuando le pregunto a Callie: «¿Está llena hoy tu copa de amor, Callie?», algunas veces me responde: «Sí». Pero, por lo general, a la hora de acostarse me dice: «No». Luego le vuelvo a preguntar hasta dónde está llena, y señala a la altura de los tobillos.

Entonces le digo: «Vamos a arreglar eso». Y comienzo a abrazarla y besarla, y ella comienza a levantar su mano lentamente hasta que llega a la parte superior de su cabeza. Al mismo tiempo hace un sonido como el de una sirena que aumenta en volumen. Y al final hace un sonido que parece una explosión.

A los niños les gusta participar en este ritual. Les encanta la copa de amor. Un día nuestra familia estaba caminando por la sección de muebles de una tienda grande. De pronto, Kristi se detuvo y me dijo: «Papá, mi copa de amor está baja». Todos nos miramos mutuamente, y luego todos me miraron a mí. Así que me arrodillé allí en esa tienda, en medio de los sillones y las sillas, y le di un gran abrazo y comencé a besarla en la mejilla hasta que escuché el familiar sonido de explosión.

Le pregunté si tenía algún problema y me dijo: «No; solo necesitaba que se llenara de nuevo».

Mis hijos también me preguntan hasta dónde está llena mi copa de amor. Hace poco, al llegar a mi hogar del trabajo, Callie me salió a recibir a la puerta. Ella me dio un abrazo grande y un beso y me preguntó: «¿Cómo fue tu día, papá?» Le respondí: «Bien».

Ella sabía que esa era una respuesta bastante pobre, así que indagó un poco más profundo: «¿Pero cómo te *sentiste* hoy?» Le dije: «Me sentí bien».

Pero ella no estaba satisfecha. «¿Te sentiste feliz, enojado, triste, disgustado, con miedo, preocupado, como loco?» A medida que ella iba mencionando la lista, yo ponía en mi rostro la expresión que correspondía con cada emoción. Se convirtió en un pequeño juego de adivinar, y antes que pasara mucho tiempo, ambos estábamos riéndonos y nos sentíamos felices.

Entonces me preguntó a qué altura se encontraba mi copa de amor. Señalé a la altura de mis tobillos y comenzó a abrazarme y a darme uno y otro beso en la mejilla. Lentamente comencé a mover mi mano por la pierna, luego por mi pecho hasta que llegué a la cabeza, y luego hice el ruido acostumbrado, cuando mi copa de amor rebosó.

Simple, sin embargo, profunda...

He compartido esta idea en mi iglesia y en mis seminarios. De alguna forma parece que la idea ha ganado popularidad entre la gente. Los padres y las madres quieren ideas que puedan implementar inmediatamente en sus familias.

Esta idea simple y, sin embargo, profunda es un paso final para darle apoyo a su hijo. Cuando su hijo se mira al espejo de los ojos de usted, él necesita ver algo más que el reflejo de una imagen positiva de sus puntos fuertes y de sus emociones. Necesita saber que lo ama.

Sé algunas formas en que usted puede mostrar su amor mejor que el afecto físico.

Cuando comencé a hablar sobre la copa de amor, alguien me dijo que yo no era la primera persona que había descubierto este concepto. En su libro *How to Really Love Your Child,* el doctor Ross Campbell habla sobre el mismo principio.

> Casi todos los estudios de que tengo conocimiento indican que cualquier niño le está preguntado continuamente a su padre y a su madre: «¿Me amas?» Un niño formula esta pregunta emocional, principalmente en su comportamiento, raras veces en forma verbal. La respuesta a esta pregunta es lo más importante en la vida del niño.
>
> «¿Me amas?» Si amamos a un niño en forma incondicional, él siente que la respuesta a esa pregunta es sí. Si lo amamos en forma condicional, el niño será inseguro, y una y otra vez predispuesto a la ansiedad. La respuesta que le damos a un niño a esta pregunta tan importante «¿Me amas?», determina por lo regular su actitud hacia la vida. Es de suma importancia.
>
> Puesto que un niño casi siempre nos formula esta pregunta por medio de su comportamiento, por lo general, le damos la respuesta por lo que hacemos. Por medio de su comportamiento, un niño nos dice lo que *necesita,* ya sea más amor, más disciplina, más aceptación, o más comprensión…
>
> Por medio de nuestro comportamiento, suplimos estas necesidades, pero solo lo podemos hacer si nuestra relación esta fundada en el amor incondicional… Note la frase «por medio de nuestro comportamiento». El sentimiento de amor por un niño puede ser muy fuerte en nuestro corazón. Pero eso no es suficiente. Por nuestro comportamiento un niño ve nuestro amor por él. Nuestro amor por un niño se demuestra por nuestro comportamiento hacia ese niño, por lo que decimos y por lo que hacemos. Pero lo que hacemos tiene más peso.

Luego el doctor Campbell habla de que cada niño tiene un *tanque emocional* (¿le suena familiar?):

> A esta altura, permítame formular una de las declaraciones más importantes de este libro. Solo si su tanque emocional está lleno se puede esperar que un niño esté en su mejor comportamiento o haga lo mejor que puede.

Luego pregunta:

> ¿Y quién tiene la responsabilidad de mantener ese tanque emocional lleno? Lo adivinó, el padre y la madre. El comportamiento de un niño indica el nivel del tanque… Solo si el tanque se mantiene lleno, un niño puede ser realmente feliz, alcanzar su potencial y responder en forma apropiada a la disciplina.[1]

Piense en esto, cuando su hijo está quejándose, en realidad está preguntando: «¿Me amas?»

Cuando se retrae de usted, en realidad está preguntando: «¿Me amas?»

Cuando repite un comportamiento que a usted lo exaspera, está preguntado: «¿Me amas?»

Esa es una verdad poderosa, ¿no es cierto? Qué descripción vívida de nuestra responsabilidad como padre y madre… *mantener sus copas de amor llenas.*

Todo el mundo lo necesita

Los niños necesitan todos los días que les llene de nuevo su copa de amor. Es posible que a veces no actúen como si así fuera, pero es verdad.

Un niño que es una «I» alta o una «S» alta, tal vez pida más afecto que uno que es «D» o «C», pero estas personitas que son orientadas a las tareas es posible que lo necesiten más.

Dicho sea de paso, este principio se aplica tanto a los varones como a las niñas. En nuestra cultura, cuando los varones llegan a la edad de cinco o seis años, sus padres y sus madres a menudo disminuyen las veces en que les demuestran afecto físico. Pero los varones continúan necesitando abrazos afectuosos, especialmente de parte de su padre, y de otros hombres como abuelos y tíos.

De manera similar, muchos padres comienzan a alejarse de sus hijas después de la pubertad. Tal vez estos padres se sientan incómodos mostrándoles afecto a estas niñas que de pronto están llegando a ser jovencitas. Pero las hijas necesitan muestras de afecto físico de parte de sus padres durante la adolescencia tanto como en otras épocas, y tal vez más. Si no lo reciben de parte de su padre, es posible que lo busquen en otro lugar. Yo preferiría mantener las copas de mis hijas llenas de amor, en vez de que lo hiciera algún jovencito avispado.

Después de haber escuchado acerca de la copa de amor en uno de mis seminarios, una madre, llamada Bárbara, fue a su hogar y decidió poner el principio en práctica. Les dijo a sus dos hijas en cuanto a la copa de amor, y luego le preguntó a Julia (de seis años, una «D» alta), cuán llena estaba su copa. La niña le respondió: «Está un poco vacía». Así que Bárbara la besó y abrazó durante unos segundos hasta que Julia le dijo: «Está bien, ya puedes parar. Está llena hasta Jesús».

Luego Bárbara le formuló a su hija de cinco años Sara (una «I» alta) la misma pregunta. Con una expresión triste, Sara le dijo: «Mi copa de amor está vacía». Bárbara la tomó en brazos y estrechándola comenzó a besarla. Ella esperaba que su hija le dijera «para», después de unos pocos segundos, pero no lo hizo.

Después de unos dos minutos, Bárbara apartó a la niña y le preguntó: «Sara, ¿no está llena tu copa de amor todavía?» A lo que la niña respondió: «No, Mamá. Mi copa es ancha y honda».

De alguna forma creo que Sara habla por casi todos los niños, ¡ya sea que lo admitan o no!

NOTAS

1 Dr. Ross Campbell, How to Really Love Your Child (Wheaton, Illinois: Victor Books, 1992), 34, 35.

CAPÍTULO CATORCE

Cómo tratar con el conflicto

Cuando usted descansa la cabeza en la almohada de noche y piensa en un día particularmente difícil con sus hijos, ¿cómo se siente? ¿Frustrado, temeroso, inseguro, inquieto, preocupado, manipulado, culpable, ansioso, enojado, desanimado, con dudas? Lo más probable es que luche con emociones complejas que lo dejan con inquietantes preguntas acerca de la manera en que ha manejado las presiones y los conflictos del día.

Se pregunta si dijo lo correcto. Tal vez fue demasiado estricto o demasiado indulgente. ¿Podría haber sido más comprensivo, o podría haber evitado el conflicto?

Cuando lo pensamos bien, la mayoría de nosotros no hemos recibido ningún adiestramiento (o muy poco) sobre cómo criar a nuestros hijos. Es más difícil obtener una licencia de conducir un automóvil que llegar a ser padre o madre. Sin embargo, la forma en que usted lleva a cabo la tarea de criar a sus hijos va a impactar el mundo a su alrededor tanto como cualquier otra cosa que haga en la vida. Da miedo, ¿no es verdad?

En particular, muchos de nosotros hemos recibido muy poco adiestramiento en cuanto a cómo manejar los conflictos. Nuestra inhabilidad de manejar esta parte tan natural de la vida resulta en matrimonios rotos y en un alejamiento entre los padres (y las madres) y los hijos.

En este capítulo no le puedo ofrecer una guía completa sobre cómo resolver los conflictos (se han escrito libros enteros sobre este asunto), pero le puedo mostrar cómo el modelo DISC de estilos de comportamiento le puede ayudar a entender mejor sus conflictos.

En muchos casos, entender la dinámica de un conflicto es la clave para solucionarlo, o evitarlo por completo.

Paso uno: Entender las causas del conflicto

El hecho de que cada persona es diferente hace que los conflictos sean inevitables. Traemos a nuestras relaciones diferentes antecedentes, puntos de vistas, emociones, expectativas, hábitos, culturas y preferencias relacionadas a la edad. Cada vez que hay un encuentro entre personas diferentes, tarde o temprano van a experimentar conflicto.

Cuando usted entiende el sistema DISC, es fácil ver cómo los estilos de comportamiento diferentes pueden desatar conflictos. A veces, cada estilo de comportamiento básico tiende a expresar ciertas actitudes y acciones que pueden molestar a otras personas. Por ejemplo:

Los padres y las madres directivos y los hijos determinados pueden inducir conflictos cuando se vuelven:

- Demasiado preocupados con sus propios intereses;
- Intolerantes o insensibles a las necesidades de los demás;
- Duros, tajantes y no demuestran tacto al comunicarse con otras personas;
- Demasiado competitivos o dinámicos;
- Muy aburridos con las rutinas necesarias y los horarios;
- Independientes y alejados de los demás;
- Demasiado rápidos para que los demás los puedan seguir.

Los padres y las madres interactivos y los hijos influyentes pueden causar conflictos cuando:

- Actúan de payasos o son faltos de seriedad;
- Hablan demasiado o interrumpen cuando otros están hablando;
- No le prestan atención a los detalles y no completan las tareas;
- Son demasiado idealistas o demasiado optimistas;
- Son olvidadizos y desorganizados;
- Se vuelven demasiado nerviosos o emocionales;
- Se convierten en manipuladores con sus palabras, o permiten que sus compañeros los manipulen ejerciendo presión.

Los padres y las madres que sostienen, apoyan, y los hijos sensibles pueden producir conflicto cuando son:

- Reacios al cambio y a las ideas nuevas;
- Indecisos;
- Faltos de iniciativa y de un sentido de urgencia;
- Incapaces de ver alternativas;
- Inseguros;
- Fácilmente influidos y no confían en los demás;
- De paso demasiado lento para mantenerse al tanto con los demás.

Los padres y las madres disciplinarios y los hijos concienzudos pueden causar problemas cuando son:

- Demasiado críticos o juzgan a los demás;
- Demasiado preocupados;
- Metidos, sospechosos; cuando formulan demasiadas preguntas detalladas que hacen que los demás sientan que están siendo interrogados;
- Perfeccionistas o intolerables de los errores de otras personas;
- Cuidadosos en ocultar o encerrar dentro de sí las emociones;
- Demasiado reservados y no socializan con los demás;
- Demasiado lentos y están detenidos en la «parálisis del análisis».

El saber que estos son puntos naturales de conflicto para cada uno de los estilos de comportamiento le puede ayudar a probar con estrategias que disminuyan lo que podrían llegar a ser campos de batalla de grandes proporciones.

Hay otros tres principios que le ayudarán a entender cómo, a menudo, las diferencias y aun las similitudes en estilos de comportamientos pueden llevar a conflictos.

Los conflictos surgen cuando sus diferencias chocan. A menudo, los puntos fuertes de una persona pueden hacer resaltar las debilidades de otra. Una persona que es «I» alta, a menudo se va a sentir frustrada con una «D» alta que «siempre me quiere estar dando órdenes». Una madre que es «C» alta se va a enojar con una hija «S» alta que no le presta la misma atención a los detalles importantes («importantes» según la definición de la madre).

A veces un padre o una madre tiene mucha dificultad en relacionarse con un hijo o hija porque sus estilos son tan diferentes que ellos no pueden entender las diferencias.

Los conflictos también pueden surgir cuando sus similitudes compiten. Si usted y su hijo o hija son «D» alta, lucharán con el asunto del control; ¿cuál de los dos va a decir lo que se debe hacer? Tal vez una madre e hija que son «I» alta puedan competir por «estar bajo la luz de las candilejas»; ¿cuál de las dos recibirá más atención? Dos personas que son «S» alta se pueden llevar bien, pero lucharán si ninguna de los dos toma la iniciativa. Y dos «C» pueden pelear sobre quién es la que sabe la forma «correcta» de hacer las cosas.

Hace poco hablé con un padre en cuya familia hay tres personas que son «D» alta. Su esposa, uno de sus hijos, y él mismo. Como se puede imaginar, los desacuerdos que serían pequeños «temblores» en otra familia, pueden llegar a ser grandes «terremotos» en su casa. Es natural que tres individuos que son «D» alta choquen. Le ayudé a identificar estos estilos de comportamiento, pero eso no hizo pacificar a su hijo, quien dijo: «Nosotros tres queremos que las cosas se hagan según nuestra forma particular, ¡y siempre va a ser así!»

Tenga presente que la mayoría de las personas no están tratando de hacerle algo a usted, sino a sí mismas. Digamos que usted es un padre o madre «S/C» y que está muy ocupado tratando de mantener su horario. Usted está apurado porque tiene que...

- Ir al supermercado a comprar alimentos para poder...
- Cocinar la cena para que esté lista a las 6:00 de la tarde para poder...
- Acostar a los hijos temprano para poder...
- Mirar la película que arrendó en la tienda de videos para poder...
- Acostarse a una buena hora para poder...
- Estar alerta para esa presentación tan importante que tiene que realizar mañana.

En otras palabras, usted tiene toda la tarde y parte de la noche planeadas. Entonces, llega su hijo «I» que le quiere contar todo lo que le pasó en la escuela y le pide que lo ayude con sus tareas escolares. Después que él habla diez minutos, usted salta: «No ves que quiero hacer este trabajo? ¿Por qué no haces las tareas solo en lugar de siempre molestarme con eso?»

En realidad, su hijo no tiene la intención de causarle molestias o de interrumpir sus planes. Lo que él necesita es simplemente hablar con alguien. Él no le está haciendo algo a usted, sino que está haciendo algo por sí mismo, así que no tome este comportamiento en forma personal.

Sandra Merwin, en su libro titulado *Figuring Kids Out,* escribió lo siguiente:

> Cuando los niños se enojan, lloran y ejercen presión contra las reglas, ponen mala cara, dan portazos, se ríen o usan cualquiera de sus comportamientos naturales para lograr que sus necesidades sean suplidas, a menudo los maestros, los padres y las madres lo toman en forma personal. Los niños parecen tener afinidad para irritar a las personas adultas en sus vidas....
>
> Ellos no se levantan de mañana planeando cómo van a hacer enojar a sus padres y maestros. Sin embargo, es posible que el niño se comporte de tal manera que toque los puntos más susceptibles de los adultos.[1]

Ya sea que su conflicto sea por diferencias que chocan, o por similitudes que compiten, hay ciertas formas en que usted puede reducir al mínimo el problema. Me gustan las recomendaciones que Bruce Narramore hizo en su libro titulado *Your Child's Hidden Needs:*

> Primero, consiga la ayuda de su cónyuge. Lo más posible es que su esposo o esposa, según el caso, sea diferente a usted y le pueda ayudar a obtener información y perspectiva en cuanto a lo que su hijo está pensando o sintiendo.
>
> Segundo, piense detenidamente por qué su hijo le está desencadenando sus emociones negativas. ¿Lo hace acordarse de usted mismo cuando era niño? ¿Es como una hermana o hermano con el cual usted peleó durante años? ¿Es

como su cónyuge? ¿O es el tipo exacto de hijo que usted dijo que jamás criaría? Cualquiera que sea la razón, una vez que entiende por qué su hijo lo hace salir de las casillas, puede ser más sensible y paciente para tratar con él. Usted puede responder, en lugar de reaccionar.[2]

Paso dos: Entender cómo personas diferentes responden a la tensión y al conflicto

Fíjese en el gráfico a continuación. Note que bajo tensión, una «D» alta o una «I« alta tienden a ventilar su enojo. Una persona «D» exige que los demás hagan como ella quiere; se vuelve demasiado enérgica, autocrática y controladora. Una persona «I» ataca en forma emocional y verbal, tratando de desacreditar a los demás y a sus ideas.

Sin embargo, si la presión o el conflicto persisten, tal vez comiencen a suprimir sus emociones. Cuando la persona «D» siente que no puede ganar, puede ir a otros extremos y trabajar sola o moverse a otro «campo de batalla» para evitar a la gente y las situaciones que no puede controlar. La persona «I» accede a los deseos de los demás para evitar perder aprobación social o simplemente para disminuir el conflicto.

La respuesta inicial de los estilos «S» y «C» es reprimir las emociones. Los individuos «S» se acomodan tolerando a los demás o cediendo, mientras que los «C» evitan el problema retrayéndose, pasándolo por alto o planeando una nueva estrategia. Y bajo tensión prolongada, estos estilos pueden cambiar bruscamente de punto de vista. Los individuos «S» tienden a ventilar sus emociones atacando a los demás, mientras que los «C» comienzan a hacer exigencias y a imponer sus normas en cuanto a lo que está «bien» y lo que está «mal» en los demás.

Cuatro respuestas a la tensión y al conflicto

	Respuesta inicial	**Si la tensión persiste**
D	EXIGE	SE APARTA
I	ATACA	ACCEDE
S	ACCEDE	ATACA
C	SE APARTA	EXIGE

Este gráfico nos ayuda de dos formas clave. Primero, nos ayuda a anticipar la reacción natural de los demás para que podamos *responder* en forma positiva y cuidadosa, en lugar de *reaccionar* negativamente.

El saber cómo la gente responde a los conflictos le ayudará a tomar decisiones sabias a medida que trata de resolver situaciones difíciles. Digamos que un padre «D» tiene una hija «I». Es probable que sus conflictos suenen así:

Padre: «Debes limpiar tu dormitorio antes de ir afuera a jugar con tus amigas».

Hija: «Papá, me están esperando. ¿Lo puedo limpiar más tarde?»

Padre: «Estoy cansando de que siempre pospongan lo que debes hacer. Lo vas a limpiar ahora».

Hija: «No hiciste que Jaime limpiara su cuarto antes de irse».

Padre: «Eso es diferente. Él tenía que ir a su juego de béisbol esta mañana. Tú podías haber limpiado tu dormitorio ayer, pero en lugar de hacerlo, escogiste mirar televisión».

Hija: «Eres muy injusto. Yo no te importo nada».

Padre: «Si no vas a tu dormitorio ahora mismo y lo limpias, vas a estar castigada todo el día sin poder salir de esta casa».

Este tipo de intercambio es típico entre una «D» y una «I». El padre se vuelve más exigente y la hija ataca su carácter en un esfuerzo por desviar el enfoque de su error de no haber limpiado su dormitorio el día anterior. Si yo hubiera sido el padre, hubiese tenido presente los estilos de comportamiento cuando comenzó la discusión. Mi meta sería mantener la discusión tan breve como fuera posible, para evitar la posibilidad de que ambos nos enojáramos cada vez más. No me hubiera dejado atrapar en una batalla verbal.

El gráfico también nos da una clave de cuánta tensión ha estado experimentado una persona. Digamos que yo llego del trabajo y encuentro a Karen en un estilo «exigente». Más bien que tomar su reacción en forma personal y luego reaccionar en una forma que pueda prolongar la tensión y el estrés de todos, puedo responder diciéndole: «Has tenido un día difícil, ¿no es verdad? ¿Por qué no te tomas un tiempo para descansar? Yo terminaré de preparar la cena». Puedo buscar maneras de darle un descanso para que pueda recargar sus baterías. (Vamos a hablar sobre esto más adelante.)

Paso tres: No espere que otros miembros de su familia piensen o actúen como usted

A primera vista, tal vez usted piense que este es un punto obvio, y que casi no vale la pena mencionar. Pero se sorprendería si viera cuántas veces esta aparentemente simple expectativa causa problemas.

Leonardo es el tipo de persona que le gustan las responsabilidades y resolver cómo se deben completar las tareas. Se siente como si lo estuvieran tratando con condescendencia cuando alguien le muestra, paso a paso, cómo hacer algo. Prefiere tener la libertar de resolver las cosas por sí mismo.

Cuando su hija Adriana creció, él comenzó a darle tareas adicionales para que hiciera en el hogar. Pero Leonardo no podía comprender por qué ella nunca parecía completar las tareas que le asignaba. Cuando le decía que limpiara su dormitorio, ella lo limpiaba sin ganas, y nada parecía haber sido colocado en el lugar correcto.

Parecía que a Adriana había que decirle exactamente cómo hacer todas las cosas y eso frustraba a Leonardo. Después de todo, él no había necesitado que sus padres le dijeran cómo limpiar su dormitorio cuando era niño. Él había hecho planes para usar todos sus cajones para que su ropa y otras pertenencias cupieran en ellos.

Finalmente, Leonardo se dio cuenta del hecho de que Adriana no pensaba ni actuaba como él. Ella necesitaba que le mostraran lo que debía hacer, de forma lenta y específica, paso a paso. Solo entonces la niña podía hacer las cosas sola. Mientras que a Leonardo le gustaba resolver las cosas y llegar a soluciones creativas para sus problemas, Adriana se sentía más segura cuando podía seguir una rutina establecida. Leonardo se dio cuenta de que tenía que demostrar más paciencia que la que demostraba habitualmente y pasar más tiempo con su hija para darle la guía que la niña necesitaba.

No estoy de acuerdo con todo lo que el doctor Wayne W. Dyer dice en su libro titulado *What Do You Really Want for Your Children?*, pero sí estoy de acuerdo con la forma en que da un resumen de la verdadera naturaleza de los conflictos familiares. Esto es lo que él dice:

Virtualmente todas las peleas giran alrededor del absurdo pensamiento: «Si solo te parecieras más a mí, entonces no tendría que estar disgustado». Esta es una suposición errónea de las personas que forman su mundo. Las personas, incluyendo a su cónyuge, sus hijos, su padre y su madre y todos los demás, nunca van a ser de la forma que usted quiere que sean. Cuando usted se encuentra disgustado con alguien, en realidad se está diciendo a sí mismo: «Si solo estuvieras pensando como estoy pensado yo ahora, entonces no tendría que estar tan disgustado». O: «¿Por qué no puedes hacer las cosas de la manera en que quiero que se hagan?»[3]

Eliminar esa noción se convierte en una posibilidad cuando usted tiene alguna forma de identificar diferencias en estilos y entender cómo cada miembro de su familia necesita diferentes expresiones de amor y de límites.

Paso cuatro: Haga ajustes para suplir las necesidades de sus hijos

En el capítulo 9, le mostré maneras muy específicas de ajustar su estilo para suplir las diferentes necesidades de sus hijos. Quiero recalcar este punto ahora para subrayar la importancia que tiene ajustar su estilo al comunicarles su amor a sus hijos.

Tanto Tomás como Susana son personas de paso rápido y están sumamente ocupados. Sus dos primeros hijos, Raúl y Laura son también de paso rápido. A los cuatro les parece imposible descansar mientras se mueven de una actividad a la siguiente. Luego llegó Melisa, su hija menor. Ella es una «S», una niña tranquila que se da a situaciones o personas nuevas con lentitud. Le gustan las rutinas y las cosas familiares. Ella necesita un ambiente hogareño estable para sentirse segura y a salvo. Es más, puede mantenerse en sus trece con obstinación para que las cosas avancen con lentitud en un esfuerzo para mantener todo como está.

Durante mucho tiempo, Melisa supo intelectualmente que su padre y su madre la amaban, pero nunca lo pudo sentir. Se sentía sola, desanimada y no apreciada porque parecía no encajar con el resto de la familia. Al mirar en los «espejos» de ellos, se veía a sí misma como débil, perezosa y monótona.

Pero todo esto cambió cuando la familia comenzó a entender los estilos de comportamiento DISC. Aprendieron a aceptar las diferencias de Melisa más bien que criticarlas. Cuando vieron que Dios la había «hecho» diferente y que ser diferente no es malo, simplemente es diferente, el padre y la madre pudieron hacer algunos ajustes cuando tratan con ella. Cuando van a realizar algún tipo de cambio, toman más tiempo para darle a Melisa un cuadro de lo que les espera en el futuro. Ya sea que vayan de compras, reciban amigos en su hogar, o van a cambiar la noche de la reunión familiar, siempre se toman el tiempo para decirle de antemano lo que va a pasar, para que la niña tenga tiempo de hacer la transición.

Susana lo dice de esta manera: «A través de los años he aprendido que por cada cinco minutos que pasamos preparando a Melisa en cuanto a cómo van a cambiar las cosas, me ahorra quince minutos de molestias. Por fin me di cuenta de que ella no está perdiendo tiempo o quejándose porque quiere amargarme la vida. Ella simplemente necesita tiempo para aceptar y moverse hacia los cambios».

Otra madre me dijo hace poco: «Nosotros no podíamos entender por qué Amanda siempre quería traer a sus amigas a la casa o pasar la noche en casa de sus amigas. Yo me preguntaba si habíamos hecho algo malo, si en alguna forma habíamos dañado su amor propio, puesto que ella parecía necesitar tanto a otras personas.

»Hasta tratamos de obligarla a jugar sola en su dormitorio, diciéndole que necesitaba disminuir su paso y a veces disfrutar de estar sola. Pero ella se disgustaba y enojaba. Ahora aceptamos la forma de ser de ella, e inclusive le damos más ánimo. Ella se siente mucho más feliz y esto ha hecho una diferencia grande en su comportamiento. No tenemos ni cerca de la cantidad de problemas disciplinarios que antes teníamos con ella».

Una familia en mi iglesia tiene dos varones que son «D/I» que están en actividad constante. La hora de la cena era siempre difícil, ya que el padre y la madre no podían lograr que los hijos estuvieran quietos. Los dos se levantarían de la mesa, se recostarían en sus sillas (levantando las dos patas anteriores de estas), o se caerían al suelo.

Finalmente, los padres compraron dos sillas giratorias, para que los hijos se pudieran mover en ellas, y la hora de la cena se convirtió en un tiempo de más paz.

Yo tuve esta experiencia también con mi hijo Chad. Yo soy una «D» alta, y miro la hora de acostarse y las tareas como cosas que se deben hacer. Chad también es una «D», pero tiene algo de «I». Por ejemplo, cuando él estaba terminando de hacer sus tareas escolares antes de la hora de acostarse, yo llegaba y le formulaba preguntas sobre ciencia para prepararlo para el examen del día siguiente. Después de cada pregunta, Chad quería detenerse y contarme una historia. Mi meta era realizar el trabajo, así ambos podíamos ir a dormir. Su meta era hablar y pasar un momento agradable con su papá. Yo temía que él me estuviera sacando ventaja, y manipulándome para quedarse más tiempo levantado. ¿Pero era eso cierto? Algunas veces tal vez sí. Pero las posibilidades son de que no hubiera estado tratando intencionalmente de quedarse levantado hasta más tarde. Él no estaba tratando de hacerme algo a mí. Estaba actuando en forma natural de acuerdo con su estilo.

No importa lo profundamente que ame a sus hijos, amarlos no es suficiente. Su amor les debe penetrar. Deben sentirse amados, y eso quiere decir ajustar su estilo para suplir mejor las necesidades de ellos. Si usted no ajusta su estilo, tal vez envíe un mensaje a ese hijo «diferente» que lo molesta, y que hay algo que está mal en él puesto que él no es como usted. Las oficinas de los consejeros están llenas de personas cuyos padres y madres las amaron, pero, por cualquiera que haya sido la razón, no pudieron experimentar a profundidad el amor de su padre o su madre. Sin importar qué diferente o difícil parezca ser su hijo, usted debe realizar ajustes. Debe aprender a alabar y a disfrutar a cada hijo por quién es.

Paso cinco: Dele a cada miembro de la familia la oportunidad de volver a cargar sus baterías

Tal vez usted no se dé cuenta, pero tiene un cordón eléctrico colgando de su espalda. No es una cola, es un cordón eléctrico. Vaya a mirarse en un espejo, y verá que allí está.

Para que usted funcione con eficacia todos los días, es necesario que enchufe el cordón en ciertas actividades que le proveen energía. Su cónyuge y sus hijos también tienen ese cordón.

Le cuesta energía ajustar su estilo para suplir las necesidades de los demás. Como padres y madres, somos llamados a cambiar la manera en que nos relacionamos con nuestros hijos para suplir sus necesidades. Pero cada vez que usted sale de su zona de comodidad natural y se comporta de maneras que no son parte de su estilo natural, sentirá tensión. Y la tensión tiende a agotar su energía mental, emocional y física.

Cuando sus niveles de energía están bajos, usted es menos paciente, menos flexible y más obstinado. En otras palabras, cuanto menos energía tenga, más posibilidades tiene de desarrollar un conflicto con otra persona. Esto quiere decir que cuanto más usted pueda darse a sí mismo y a su hijo la oportunidad de recargar sus baterías, menos conflicto va a experimentar.

Por lo general, una pérdida de energía ocurre cuando:

- Los estilos de criar a los hijos más orientados hacia las tareas (directivo, disciplinario) deben expresar interacción más orientada hacia las personas;
- Los estilos orientados hacia las personas (interactivo, que sostiene, apoya) se ajustan para ser más orientados hacia las tareas;
- Las personas de paso más lento (que sostienen, apoyan, disciplinarias) tienen que apurar su paso; o cuando a las personas de paso rápido (directivas, interactivas) se les hace disminuir la velocidad.

El descanso físico adecuado es una forma importante de que usted pueda recargar sus baterías. Pero si piensa en esto, también va a reconocer ciertas actividades que en forma consecuente le ayudan a aliviar el estrés y están relacionadas directamente con su estilo de comportamiento.

Hay signos de advertencia claros que se deben observar, síntomas que le avisarán en cuanto al hecho de que su hijo está sufriendo estrés. Por lo general, una «D» alta o una «I» van a expresarse a voz en cuello, serán exigentes e hiperactivos. Una «S» se vuelve callada y se aparta emocionalmente, y una «C» se quejará y será quisquillosa, enfocándose en algo que la molesta y no va a cejar. Es como si se metiera en un círculo del cual no puede salir.

El identificar estas actividades para usted y sus hijos le ayudará a evitar muchos conflictos en su hogar. Cuado usted hace que el recargar las baterías sea una prioridad, los miembros de su familia serán más calmos, felices y menos propensos a «saltarles» a los demás por pequeñas ofensas.

Una «D» alta necesita quemar el estrés de la misma manera que una locomotora quema carbón. Esto quiere decir hacer alguna actividad física, ya sea jugar al tenis, cortar el césped, construir una pared de contención en el patio de atrás, o limpiar un kilómetro cuadrado de tierra forestal. Es casi una compulsión. Esa persona llegará a casa después de un día difícil de interacción en la oficina, y dirá: «Si no salgo a hacer ejercicio, me voy a volver loca».

Una «I» alta recarga sus baterías estando con la gente y hablando. Usted lo puede ver en los ojos de este individuo. Póngalo en un cuarto lleno de gente o préstele un oído atento y lo verá cobrar vida.

Las madres que son «I» altas y están todo el día en el hogar con sus hijos, van a experimentar frustración si no tienen suficiente interacción con adultos. Rosa compartió lo siguiente con su grupo que se reúne para hablar sobre la crianza de los hijos: «La interacción con mis hijos no suple la necesidad que tengo de estar con la gente. Me encanta estar en casa y cuidar a mis hijos. Ellos son buenos niños. Pero ahora que sé que soy una "I" alta, y que las personas que son "I" alta necesitan hablar y estar con otras personas, estoy planeando más salidas con otras madres. Mientras mis hijos toman una siesta, yo hablo por teléfono para estar más conectada con mis amigas. Mi nivel de energía es mucho más alto, e inclusive mi esposo ha notado la diferencia y me está ayudando para poder pasar más tiempo con mis amigas».

Una «S» alta por lo general encuentra que el tiempo sin ninguna responsabilidad, sin hacer nada, la tranquiliza y le da energía. Esto puede querer decir ir a pescar, tomar un baño de burbujas, mirar televisión, caminar o conversar con una amiga íntima. Para algunas personas «S», tiempo sin responsabilidad quiere decir dormir hasta más tarde, o ir a acostarse temprano. Muchas madres que no trabajan fuera del hogar encuentran que tomar una siesta corta las ayuda, aun si esto significa que esa noche van a comer una cena simple.

Una «C» alta necesita tiempo en privado para recargar sus baterías. Esta persona disfruta de una tarde tranquila, leyendo un libro frente al fuego del hogar, o escuchando música clásica, trabajando en un proyecto, o pasando un día en una librería. Necesita tiempo a solas para pensar, procesar y analizar las cosas.

Una de las personas más interesantes que conocí, fue en un viaje misionero a Australia. El doctor John Hercus era una «C» alta a quien le gustaba pensar muy a fondo en cuanto a los «por qué» de la vida espiritual, y escribió varios libros. Lo que me sorprendió fue saber que muchas de sus ideas creativas le llegaron mientras trabajaba en su jardín. Su trabajo en el jardín era el tiempo privado que usaba para pensar. Se convirtió en lo que le proveyó las innumerables ideas para sus libros y su filosofía de la vida.

Sus hijos y la energía

Entender las necesidades de energía también es importante para sus hijos. Cuando sus niveles de energía están bajos, a los niños les cuesta más encarar las circunstancias que no encajan con sus estilos naturales. Serán más egoístas y será más difícil llevarse bien con ellos. Sin embargo, cuando sus niveles de energía son altos, los niños tienen más poder para expresar sus puntos fuertes y enfrentarse con situaciones incómodas.

Por ejemplo, considere la condición en que se encuentran sus hijos cuando llegan de la escuela. Han estado en interacción con la gente todo el día, pero también han estado sentados en sus pupitres completando asignaciones, y han estado quietos (¡esperemos que así haya sido!). Si usted no se da cuenta de que necesitan recargar sus baterías cuando llegan al hogar, se está preparando para algunos conflictos acalorados más tarde.

Después de un día como ese, los niños «S» y «C» van a sentirse agotados de haber tenido que interactuar en grupos de personas. Es posible que necesiten estar solos para recargar sus baterías. Tal vez quieran jugar solos en sus dormitorios, leer un libro o mirar televisión.

Es posible que no necesiten mucho tiempo para estar listos para salir a jugar, pueden necesitar algún tiempo a solas.

No pretenda que estos niños le cuenten cómo fue su día en la escuela en el momento en que entran por la puerta. Lo más probable es que estén listos para hablar a la hora de acostarse. Tal vez usted tenga que, con mucha paciencia, formularles muchas preguntas para sonsacarles la información.

Los niños «D» alta llegarán de la escuela prontos para la acción. Han estado todo el día sentados y tienen energía para quemar. Con este tipo de niño, no es conveniente que lo haga completar sus tareas escolares antes de que salga a jugar.

Los niños «I» pueden obtener energía de los demás. Si han tenido suficiente interacción con las personas un día particular en la escuela, necesitarán la oportunidad de hablar y tener interacción con usted o con sus amigos.

Una madre que es una «C» alta, relató esta historia en cuanto a los conflictos cuando los niños llegan de la escuela: «Después de pasar el día en interacción con la gente en mi trabajo, estoy lista para un tiempo a solas. Necesito paz y tiempo para mí. Pero justo cuando siento que comienzo a sentirme tranquila, llegan mi hijo y mi hija que son «I» alta. [¿Se dio cuenta que esta madre que es «C» alta tiene dos hijos que son «I» alta? Estamos hablando de un desgaste muy grande de las reservas de energía para tratar con estos dos hijos.]

»Cuando entran por la puerta quieren contarme qué hicieron todo el día, comenzando en el instante en que los dejé en la escuela. Yo me preocupaba de que había algo que estaba mal conmigo, porque les cortaba la conversación y a veces hasta les gritaba. No entendía por qué estaba reaccionando de la forma en que lo hacía.

»Ahora me doy cuenta de que mis hijos tuvieron que sentarse, escuchar y estar quietos la mayor parte del día, así que sé que necesitan hablar y moverse para recargar sus baterías. Lo que hacemos es que nos sentamos juntos, tomamos una merienda, y hablamos durante veinte minutos. Puedo escucharlos por veinte minutos. Entonces salen a jugar con sus amigos hasta la hora de la cena. De esa forma, la mayor parte de los días tengo un tiempo a solas hasta que sirvo la cena».

Cuando usted discierne que sus hijos necesitan tiempo para recargar sus baterías, comenzará a hacer ajustes similares a los que hizo esa madre en la forma en que trata a sus hijos.

«Yo no podía entender por qué Sara desaparecía y se metía en su dormitorio cada vez que alguien venía a pasar el día con nosotros —me dijo una madre—. Ahora sé que ella es una «C» alta, y que necesita tiempo a solas para recargar sus baterías. El darle tiempo para que esté a solas y el no tratar de forzarla a que hable cuando yo estoy lista para hablar, nos ha ayudado a llevarnos mejor».

En otra ocasión trabajé con una familia grande para ayudarlos a entender sus estilos de comportamiento y cómo cada persona interactuaba con los demás.

La hija adolescente de este matrimonio, Ana, es una «I/C», e hizo el siguiente comentario: «Me preocupaba pensando que había algo malo en mí. Hay momentos cuando no quiero estar con mi familia. [Recuerde que ella tiene necesidades internas polares opuestas. La "I" quiere estar en actividad y con la gente; la parte "C" necesita moverse más lentamente y tiempo a solas para procesar sus pensamientos.] Ahora me doy cuenta de que está bien que algunas veces quiera estar a solas. Es la parte "C" alta en mí que necesita tiempo a solas».

El padre le preguntó a Daniel, el hermano menor de Ana, qué podrían hacer para alentar a la jovencita. Daniel respondió: «Creo que debemos escucharla». Pero siendo él una «D» alta, y con un poco de frustración por los años de haber escuchado las historias largas de su hermana, añadió: «Pero papá, no quiero ir a Nueva York pasando por la China». [¿Reconoce usted a una «D» alta? ¿Entiende una «D» a una «I»?]

Haga una prioridad del recargar las baterías

Una vez que usted vea que el recargar sus baterías emocionales va a reducir la tensión en su hogar, no debería tener problemas en ver lo importante que es. La dificultad es darle tiempo en su horario. Es preciso que le dé una prioridad alta a tiempos regulares y consecuentes para recargar las baterías.

Donald Tubesing, autor de *Kicking Your Stress Habit,* lo dice de esta manera: «Sería bueno si pudiéramos comernos la cuarta parte de una vaca, tomar un barril de agua, y así suplir nuestras necesidades nutritivas por un mes, pero eso no puede ser. Tenemos que suplir nuestras necesidades todos los días».[4] Esto es lo que sucede con nuestras necesidades de energía. Si usted es una «D», debe hacer planes para actividades físicas. Si es una «I» alta, debe arreglar su horario para que sus necesidades de estar con la gente sean suplidas. Si usted es una «S», necesita tiempo sin hacer nada para recargar sus baterías. Si usted es una «C», debe hacer planes para tiempo a solas.

En un sentido real, usted debe cuidarse a sí mismo para poder cuidar a su hijo o hija.

Si no puede recordar cuándo fue la última vez que tomó tiempo para sí mismo, o dejó a sus hijos con una niñera para salir con amigos, es tiempo de que recargue sus baterías. No permita que sus baterías estén tan bajas que no le quede nada para darles a los que ama.

Cuando su hijo comienza a portarse mal, haga un repaso mental de la energía de él. ¿Necesita volver a recargar sus baterías? ¿Puede usted ayudar a que se recarguen?

De todos los consejos prácticos que le pudiera dar en cuanto a manejar el conflicto, tal vez este sea el más fácil de implementar. También le puede proporcionar los resultados más rápidos.

NOTAS

1 Sandra Merwin, *Figuring Kids Out* (Minnetonka, Minn.: TigerLily Press, 1992), 117-118.

2 Bruce Narramore, *Your Child's Hidden Needs* (Old Tappan, Nueva Jersey: Fleming H. Revell, 1990), 29, 20.

3 Wayne Dyer, *What Do You Really Want for Your Children?* (Nueva York: Avon Books, 1985), 197.

4 Donald Tubesing, *Kicking Your Stress Habit* (Nueva York: Penguin, 1982).

CAPÍTULO QUINCE

El padre y la madre son socios

Tal vez la cosa más importante que recuerdo de mi padre en los años de mi crecimiento, es que él amaba a mi madre. Todas las noches cuando llegaba a casa del trabajo, entraba a la cocina, abrazaba a mi madre, le daba un beso y le decía que la amaba. Todavía lo puedo ver como si hubiera pasado ayer.

Cuando pienso en mi niñez, me doy cuenta que mis padres me dieron un gran regalo. Me mostraron que dos personas pueden vivir juntas en amor y unidad aun siendo muy diferentes.

Este libro es sobre la crianza de los hijos, pero me parece algo muy claro que si usted quiere ser un padre o una madre mejor, un buen lugar para comenzar es fortalecer su matrimonio.

Un estudio reciente por la fundación de Dallas, Texas, llamada *Timberlawn Psychiatric Research Foundation,* encontró que para que los niños se desarrollen normalmente, necesitan un padre y una madre fuertes unidos en su amor el uno por el otro. «No importa lo que usted les diga a sus hijos en forma directa o indirecta, un matrimonio que funciona bien los sumerge en una luz dorada de algo muy positivo, así que crecen muy fuertes y saludables», dice John T. Gossett, el director de la organización mencionada al principio de este párrafo. «Un matrimonio que tiene conflictos constantes sumerge a los hijos en una clase de luz roja intensa de dolor y sufrimiento que les resulta muy dañina».[1]

Antes que sus hijos sientan que usted valora el hecho de que son únicos, singulares, debe demostrar que entiende y aprecia los puntos fuertes de su cónyuge y que acepta las formas en que dicho cónyuge es diferente a usted.

De la misma manera que entender los estilos de comportamiento DISC le puede ayudar a ser un mejor cónyuge, también le puede ayudar a fortalecer su matrimonio. Tal vez sea uno de los descubrimientos más importantes de su vida de casado.

¿Quién es esta mujer con la que me casé?

Karen y yo fuimos novios durante cuatro años (entre algunos períodos que no salimos juntos), pero no fue sino hasta que nos casamos que descubrí la terrible verdad: Karen era extraña; no era normal, por lo menos no como yo.

Comenzó la noche que nos casamos. La temperatura del día de nuestra boda, en pleno verano, era más de 35 grados centígrados. Cuando llegamos al hotel aquella noche en la ciudad de Daytona Beach, Florida, lo primero que hice fue poner el aire acondicionado muy fuerte. Mientras me bañaba, Karen temblaba de frío, así que lo apagó. Cuando salí del baño, comencé a transpirar, así que lo volví a encender.

Esa noche descubrimos que nuestros termostatos internos no hacen juego. Esto hizo que el comienzo de nuestra luna de miel fuera interesante. Yo no lo supe entonces, pero probó ser un presagio de nuestra vida juntos.

Poco tiempo después comenzamos a amueblar nuestra primera casa. Usted sabe que una pareja joven va a tener problemas cuando van a comprar muebles y ella nombra una mueblería de muebles finos y caros, y él no reconoce el nombre y le pregunta si ese es el nombre de su tío. Descubrí que el gusto de Karen y el mío eran completamente diferentes.

También nuestros estilos de manejar las finanzas son diferentes. Yo gano el dinero para gastarlo. Ella gana el dinero para ahorrarlo. Yo no quiero sacrificarme trabajando y no poder disfrutar la vida. Ella no se quiere despertar un día cuando tengamos sesenta y cinco años y encontrar que no tenemos nada en nuestro fondo de jubilación.

Antes de casarnos, si yo me sobregiraba en la cuenta del banco, lo que hacía era cambiar de bancos y comenzar de nuevo. A Karen le encanta cuando recibe el estado mensual de la cuenta y la puede cuadrar al centavo.

Mi suegro, quien era coronel de la armada y ahora está jubilado, mantenía siempre ocupada a su familia. Aun hoy en día, cuando lo visitamos, él siempre está ocupado con algún proyecto, instalando una nueva cocina, cambiando las luces del baño, o arreglando la disposición de las plantas en su jardín.

Karen sigue sus pasos. No está feliz si no está barnizando los muebles, colocando un cantero nuevo en el jardín, o haciendo cortinas para los dormitorios de los niños.

Mi papá, sin embargo, trabajaba desde el amanecer hasta la puesta del sol construyendo casas. Cuando llegaba a nuestro hogar, lo último que quería hacer era trabajar en la casa. Así que, ¿adivine a quién salgo yo? Para mí, el hogar significa descanso y quietud.

Usted se puede imaginar la clase de conflictos que Karen y yo comenzamos a tener después que nos casamos. Ella no podía entender por qué yo no quería trabajar en proyectos en la casa. Después de todo, eso es lo que a ella le gustaba, y eso es lo que le gustaba a su padre (su modelo de un hombre).

Las diferencias no terminan allí. Karen y yo operamos de diferentes motores interiores. A mí me gusta llegar temprano a cualquier cita o evento. Karen por lo general llega tarde. Antes de salir de la casa, quiere estar segura de que todo está en orden, y eso lleva tiempo.

Cuando salimos de vacaciones, a ella le gusta conducir despacio, deteniéndonos en tiendas de descuentos a lo largo del camino, y de noche alojándonos en hoteles para descansar. Para mí, la diversión comienza cuando uno llega al lugar adonde va; el tiempo en que viajamos no es la vacación, sino un mal necesario. Yo he conducido durante veintidós horas seguidas para llegar a casa, llevando los aparejos necesarios para no tener que parar a usar el baño tan a menudo.

Y entonces Dios intervino

No sé como Karen y yo fuimos tan ciegos a todo esto antes de casarnos. Creo que éramos una pareja típica y romántica. En algún punto entre nuestra luna de miel y el nacimiento de nuestro primer hijo, despertamos a una revelación inquietante: éramos en realidad *muy* diferentes. Y esas diferencias comenzaron a causar bastante fricción.

Durante diez años pensé que si Karen fuera más parecida a mí, sería más feliz y nosotros podríamos tener un matrimonio maravilloso.

Por supuesto, ella pensó lo mismo de mí. Así que comenzamos a tratar de cambiarnos mutuamente, procurando rehacer al otro a nuestra imagen.

Felizmente, Dios intervino. Cuando asistí a un seminario sobre liderazgo en una iglesia cercana, presentaron el modelo DISC que usted ha estado aprendiendo. El examen que tomamos entonces se llamaba *Perfomax Personal Profile System.* Más tarde apliqué este sistema al matrimonio, y la empresa *Carlson Learning Company* lo publicó con el tíitulo de *The Couples' Profile.* (Este formulario puede obtenerse escribiéndole a dicha empresa.)

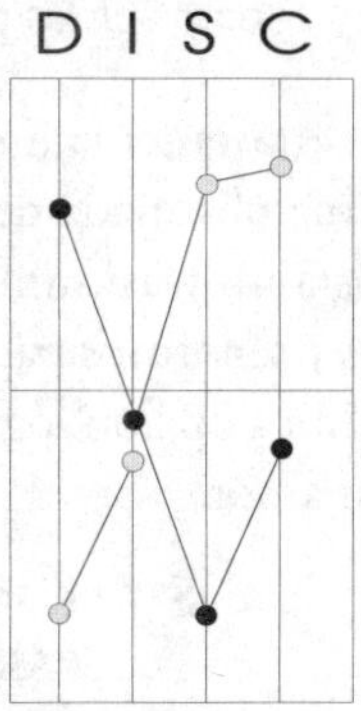

D I S C

Cuando Karen y yo colocamos los resultados de los dos en un gráfico, así es como se veía. (Yo estoy representado con los puntos negros, Karen con los blancos.) Como puede ver, somos muy diferentes.

Yo sabía que éramos muy diferentes pero ahora tenía una evidencia objetiva. Lo que antes habían sido puntos de conflicto no identificables y tensiones, ahora se convirtieron en esferas claramente definidas sobre las que podíamos hablar. Nuestros diferentes pasos, por ejemplo, fueron identificados como típicos de nuestros estilos de comportamiento.

Para nosotros, esta información se sintió como la primera brisa fresca del otoño después de un verano húmedo y caluroso. Hizo una diferencia permanente en nuestra relación.

- Dejó de lado para siempre la creencia de que existe una forma «normal» de ser.
- Obtuvimos una mejor comprensión de nosotros, quiénes somos como las personas únicas y singulares que Dios creó.
- Aprendimos en qué somos iguales y en qué somos diferentes, y cómo esas similitudes y diferencias afectan nuestra relación. Esta comprensión nos capacita para anticipar posibles conflictos e ir más allá de los asuntos superficiales cuando ocurre un conflicto.

- Aprendimos cómo podemos ajustar nuestro estilo para suplir específicamente las necesidades del otro.
- Comenzamos, no solo a aceptarnos mutuamente, sino también a apreciar y valorar esas diferencias. Eso nos capacitó para ser las personas que Dios nos creó para que seamos.

Ahora tenía una elección: Podía escoger entre: A) continuar en forma obstinada de tratar de cambiar a Karen para que se pareciera más a mí y así suplir mis necesidades, o B) hacer cambios voluntarios y amorosos para suplir mejor sus necesidades. La elección B era la única opción lógica si queríamos un matrimonio que perdurara y con amor.

Siete formas de usar el sistema DISC para mejorar su matrimonio

Durante los últimos seis años, hemos trabajado para alcanzar nuestra meta de ser uno en el matrimonio al valorar las maneras en que somos diferentes. El ser uno no quiere decir ser igual. El ser uno es la unidad dentro de la diversidad. En el proceso hemos descubierto, por lo menos, siete formas prácticas para usar esta herramienta y así mejorar nuestro matrimonio.

Primero, **haga el esfuerzo de entender a su cónyuge.** El apóstol Pedro instruyó a los esposos de esta forma: «De igual manera, ustedes esposos, sean comprensivos en su vida conyugal, tratando cada uno a su esposa con respeto» (1 Pedro 3:7). Este principio de ser comprensivo, de entender, también se aplica a las esposas. El entenderse mutuamente es el primer paso esencial para reducir los conflictos en el matrimonio.

Paul Tournier escribió lo siguiente en su libro titulado *To Understand Each Other:* «El que ama entiende, y el que entiende ama. El que siente que lo entienden se siente amado. Y el que se siente amado, se siente seguro en cuanto a ser entendido».[2]

No existe duda que hay una conexión entre amar y entender. Si su cónyuge no siente que lo entiende, no se sentirá amado. Andrés es un profesor universitario y es una «S/C». Disfruta de largos períodos de quietud para leer y meditar. Su esposa Susana, una «D/C» alta, es lo opuesto. Ella es una persona activa y laboriosa, a quien le encanta tachar cosas de su lista de «Cosas para hacer». Cuando Susana se siente abrumada por la cantidad de cosas que ha decidido completar, involucra a Andrés en la ayuda. «Puesto que no estás haciendo nada —le dice—, ayúdame a colgar estos cuadros».

¿No haciendo nada? ¿Cómo cree que se siente Andrés? Ofendido... y que no lo entiende.

Tratar de entender a su cónyuge significa que debe descubrir la forma en que él o ella es diferente a usted. De la misma forma en que usted se convirtió en una persona que estudia a su hijo, debe ser una persona que estudia a su cónyuge. Paula Rinehart lo dice de esta manera: «Siempre estamos creciendo en el entendimiento de que la persona con la cual nos casamos no piensa en forma innata ni responde como nosotros. Es una persona diferente, un misterio que vale la pena descubrir».[3]

Una noche, uno de los diáconos de nuestra iglesia me invitó a un concierto de un guitarrista de música jazz. Después de estar en el concierto como una media hora, el hombre se volvió hacia mí y me preguntó: «¿Le molesta que esas personas en la fila de atrás estén conversando?»

Yo no lo había notado hasta que él me hizo la pregunta, pero a partir de ese momento escuché murmullos constantes mientras esa gente conversaba en susurros. Fue algo tan irritante que finalmente mi amigo se inclinó y en una forma amable pero enérgica, les dijo: «Si ustedes quieren hablar, ¿por qué no se corren unos cuantos asientos?»

El hombre respondió: «Oh, lo siento. Mi esposa es ciega y yo le estaba diciendo lo que ocurre en el escenario».

¡Hablando de un cambio de actitud! Ambos nos miramos y nos hundimos en nuestros asientos sintiéndonos como unos tontos.

¿Qué hizo la diferencia? Entendimos lo que pasaba, y cuando eso ocurrió, nuestro malestar y juicio se esfumó.

Este cambio de actitud también ocurre cuando usted trabaja para entender a su cónyuge. Haga un esfuerzo para estudiar su estado de ánimo, sus gestos, lo que le gusta y le disgusta, sus puntos fuertes y sus debilidades. Fíjese en lo que le agrada y en lo que le disgusta... y cuándo necesita aliento. Aprenda qué es lo que lo impulsa a hacer algo y lo que lo irrita.

Este es un curso del que jamás se va a graduar, así que considérese a sí mismo un estudiante de toda la vida.

Segundo, **acepte a su cónyuge tal cual es.** Existe una verdad que se debe grabar en la mente, y es esta: *ser diferente no es malo... es simplemente diferente.*

Es preciso que haga la elección de aceptar con amor las diferencias de su cónyuge y no mantenga una lista de las cosas que quiere cambiarle.

Después de uno de mis seminarios, una mujer se me acercó y me agradeció por lo mucho que la sesión la había ayudado. «Me ha ayudado a entender a mi hija —me dijo ella—. Cecilia es una copia fiel y exacta mía, no que yo la haya hecho así, sino que así es como es ella».

Luego continuó: «Pero lo mejor de este seminario fue que me ayudó a entenderme y ayudarme a mí misma. Mi esposo siempre me dice que soy loca. Que nadie piensa como yo. Ahora sé que no hay nada malo con la manera que soy. Hay mucha gente como yo».

Me alegré mucho por lo que esta mujer había aprendido sobre sí misma, pero me hubiera gustado que su esposo también hubiese asistido al seminario.

Otro hombre, muy aferrado a su manera de ver las cosas, escribió en una de las evaluaciones: «Me sorprendió ver que hay tanta gente en el mundo como mi esposa que merecen su propia categoría».

Estos dos esposos necesitan aceptar a sus esposas por quienes ellas son. Es preciso que entiendan que ser diferente no es algo malo... es simplemente diferente. Al igual que todos los que están casados, necesitan enviar en forma clara y consecuente el siguiente mensaje: «No tienes que cambiar para que te ame. Está bien ser quien eres».

Tercero, **vuelva a la perspectiva de su cónyuge que tenía antes de casarse.** Usted se sintió atraído hacia él o ella por ciertos puntos fuertes y cualidades de su carácter. Por ejemplo, antes de casarse, una joven puede sentirse atraída hacia un hombre que es estilo «D» alta porque es decidido, independiente, determinado y valiente. Sin embargo, después del matrimonio tal vez ella se sienta afligida por los atributos negativos de él. Ahora le parece impaciente, indiferente, obstinado e imprudente.

Carlos («I/D») es un vendedor que siempre es el alma de una fiesta y nunca le faltan las palabras. María («S/C») es una persona más reservada que se siente incómoda en grupos grandes, y de inmediato se sintió atraída hacia Carlos porque él demostraba mucha confianza en sí mismo. Ella pensaba que Carlos era sociable, encantador, hablador e ingenioso.

Cuando hacía seis años que se habían casado, María estaba muy deprimida y vino a verme para que la ayudara. Ella quería un matrimonio perfecto, pero Carlos no hacía las cosas «correctamente». Con frecuencia, llegaba tarde y ella siempre tenía la cena lista a tiempo. María tomaba estas tardanzas como un insulto personal. No podía creer que él no fuera tan puntual como ella, así que pensaba que Carlos llegaba tarde a propósito. Pero ella no habló sobre este problema con él porque no quería causar un conflicto.

Después de haber asistido a varias fiestas con Carlos, se dio cuenta de que él contaba los mismos chistes gastados una y otra vez. También se cansó de usar media hora para tratar de sacarlo de la gente en esas reuniones. Carlos no parecía querer irse y no apreciaba el hecho de que a ella no le gustaban esas fiestas tanto como a él.

Cuando Carlos contó su lado de la historia, pintó otro cuadro diferente. «María es una persona dulce, de corazón tierno y me agrada mucho esa parte en ella. Pero ha estado deprimida la mitad del tiempo desde que nos casamos. Ella solía pensar que yo soy gracioso, como piensa todo el mundo, pero ahora se está cansando de mí.

»Si llego a casa diez minutos tarde, se disgusta. Parece que no entiende que soy vendedor y que no puedo apurar a mis clientes para mantener el horario de mi esposa. Siento como que me hubiera casado con mi madre y soy un niño pequeño malo».

El problema es un asunto de perspectiva. A María le gusta mantener las rutinas familiares y los horarios. Carlos es orientado hacia las personas y el tiempo parece escapársele de las manos. Uno no está en lo correcto y el otro está equivocado, *simplemente las perspectivas son diferentes.*

Como aprendió en el capítulo 10, muchas de las tendencias frustrantes de las personas que usted ama son el lado opuesto de las cualidades que aprecia más. Son puntos fuertes empujados a un extremo. Lo que una vez lo atrajo a su cónyuge ahora puede ser el punto de ataque.

El tiempo y la familiaridad tienen una forma de causar que usted comience a enfocarse en los puntos negativos más bien que en los positivos. Vaya y mire las fotos de casamiento otra vez. Regrese a su punto de vista «antes de casarse».

Cuarto, **considere que cada combinación de una pareja tiene posibles problemas.** Todos hemos escuchado que los polos opuestos se atraen. Cuando miramos los puntos fuertes de nuestro cónyuge, es bueno tener presente las cosas opuestas. Sin embargo, aunque es cierto que los opuestos se atraen, tal vez finalmente ataquen. Cuando las parejas difieren en cualquiera de las cuatro dimensiones DISC, es posible que tengan problemas.

Una pareja que es «D» alta/«D» baja puede tener conflictos cuando toman decisiones. La «D» alta quiere decir y decir ahora, pero la «D» baja quiere posponer tomar la decisión. La «D» alta tiende a tomar decisiones independientes. La «D» baja quiere un enfoque más democrático al proceso de tomar decisiones.

Cuando una «I» alta se casa con una «I» baja, tal vez también experimenten tensiones. Por lo general, a la «I» alta le gusta hablar siempre. La «I» baja actúa con más reserva, guardándose los pensamientos y los sentimientos. La comunicación (o la falta de ella) puede llegar a ser una esfera de conflicto. La «I» baja puede ver a la «I» alta como superficial; la «I» alta puede ver a la «I» baja como inexpresiva.

La combinación «S» alta/«S» baja puede luchar con el cambio. La «S» alta quiere que todo permanezca igual y la «S» baja es más espontánea, y quiere el cambio por el cambio mismo, o para ponerle un poco más de sal a la vida.

La pareja «C» alta/«C» baja tal vez luche con la atención a los detalles clave. La «C» alta es más concienzuda y cautelosa y toma sus decisiones basándose en muchos hechos. En esta relación pueden ocurrir conflictos cuando la «C» baja tiende a guiarse por su instinto para hacer las cosas y tiene la actitud de: «No hay que sudar la gota gorda por las cosas insignificantes».

Muchos conflictos en el matrimonio surgen porque no apreciamos el hecho de que nuestro cónyuge tiene puntos fuertes diferentes a los nuestros. No apreciamos lo que no entendemos, y lo que no entendemos a veces nos molesta. Nos confunde y tal vez nos haga sentir ofendidos o amenazados. Es por eso que entender su estilo DISC puede llevar a una relación más dedicada y solícita.

De la misma forma que en algunos matrimonios los polos opuestos se atraen, en otros «los pájaros iguales vuelan juntos». A veces personas de estilos similares se unen porque tienden a enfocar la vida de la misma manera y encuentran que eso es satisfactorio. Pero en esos matrimonios también se presentan conflictos.

Cuando tanto el esposo como la esposa son «D» alta, saben adónde van y cómo llegar allí, pero ambos quieren controlar. Esta pareja puede experimentar luchas por el poder de proporciones titánicas.

Dos personas «I» alta se pueden divertir mucho juntas, pero tal vez compitan por la posición de prominencia. Tal vez traten de competir por el primer lugar. ¿Quién se ve mejor? ¿Quién está bajo la luz de las candilejas? Dos «I» altas pueden llegar a estar tan abrumadas por los compromisos que se olviden de tomar tiempo el uno para el otro. Se arriesgan a desarrollar una relación superficial a la que le falta la fundación sólida de la intimidad.

Dos cónyuges «S» tal vez estén de acuerdo en asuntos tales como establecer rutinas familiares y mantener su hogar y familia en equilibrio. Sin embargo, su deseo de que su familia tenga seguridad emocional y esté libre de conflictos puede causar conflictos a medida que uno espera que el otro tome las decisiones o asuma las responsabilidades. Lo que causa los conflictos aquí es la iniciativa. ¿Quién va a decidir? ¿Quién está dispuesto a tomar un riesgo?

Dos personas que son «C» alta pueden estar de acuerdo en su compromiso por lograr la excelencia. Pero tal vez se involucren en una competencia sobre la aptitud. ¿Cuál de los dos hace las cosas «correctamente»? También, con sus mentes analíticas pueden tomar algunas discusiones demasiado seriamente y comenzar una batalla silenciosa en la cual cada uno juzga los valores y motivos del otro, y hace que el conflicto explote fuera de proporción.

No importa qué combinación de estilo de comportamiento haya en su matrimonio, es importante que estén dedicados a una cosa: a trabajar juntos de buena voluntad para mejorar su matrimonio.

Después de haber asistido a un par de mis talleres, una mujer me mostró el resultado que ella y su esposo habían obtenido en un perfil DISC llamado *The Couples Profile.* Ellos eran opuestos en todo, y me preguntó: «¿Deberíamos desistir? Somos tan diferentes». Le expliqué el siguiente punto, que ha llegado a ser uno de los principios fundamentales en cada uno de los talleres que realizo sobre el matrimonio:

En el matrimonio, la compatibilidad ya no es el asunto importante. El compromiso es el asunto que importa.

Dos personas que se aman y se aceptan y que están dispuestas a trabajar juntas pueden tener un buen matrimonio, uno que mejora con el tiempo. No depende de lo igual o diferentes que ustedes sean. Depende de la *voluntad* que tengan.

Quinto, **no tome el comportamiento de su cónyuge en forma personal.** ¿Le parece conocido este punto? Debería, porque también lo mencioné en el capítulo anterior. Vale la pena que lo repita, porque tantos problemas matrimoniales pueden ser neutralizados si entendemos este simple principio.

Cuando usted se da cuenta de que las acciones de su cónyuge resultan de su estilo natural de relacionarse, más bien que ser una táctica designada para hacerlo enojar u ofender, entonces su comportamiento ya no será interpretado como una amenaza o una afrenta.

Este punto se me hizo muy claro hace algunos años en una sesión de asesoría. La pareja era casi igual en todo menos en una categoría. Marta era una «I» alta y Juan era una «I» baja. Estaban enfrentando muchas tensiones en su matrimonio, las cuales atribuían al trabajo estresante de Juan y a su condición financiera tirante.

Cuando miré sus gráficos, sospeché que había otros problemas debajo de la superficie. Le dije a ella: «Marta, pienso que te sientes rechazada en tu matrimonio». Y ella me respondió: «Es verdad, y ese es el problema que tenemos».

Luego miré a Juan y le dije: «Creo que te sientes asfixiado». Él me respondió: «Ese es el problema verdadero en nuestro matrimonio». Los dos no podían creer que yo le había dado al clavo con tanta rapidez.

Como «I» alta, Marta quería hablar sobre las cosas cuando se sentía con estrés, y eso hacía que Juan se sintiera asfixiado. El estilo de él de manejar el estrés era pensar las cosas detenidamente, yéndose a caminar al bosque. ¿Adivine cómo eso hacía sentir a Marta? Rechazada.

Cuando les expliqué el principio de que «la mayor parte de la gente hace lo que hace, no porque quieran hacerle algo a *usted,* sino porque están haciendo algo por *sí mismos*», pude ver que se les encendió la lamparita. Sonrieron, sus hombros perdieron la tensión y ambos dejaron escapar un profundo suspiro. Con esta nueva perspectiva, estuvieron dispuestos a darle al otro lo que dicha persona necesitaba.

Sexto, **aprenda a ajustar su estilo para suplir las necesidades de su cónyuge.** Más bien que esperar que su cónyuge cambie para suplir sus necesidades, tome usted la iniciativa. Cambie usted para suplir las necesidades *de él.*

Cuando Juan y Marta vieron que las acciones del uno al otro no eran parte de un ataque personal, se sintieron más libres para, con amor, hacer ajustes en su relación. Marta comenzó a dejar que Juan tuviera tiempo a solas para procesar sus pensamientos y sentimientos, y Juan estuvo de acuerdo en sentarse a conversar con Marta después de su tiempo a solas, para así hablar sobre los problemas y tomar decisiones.

La idea de cambiar es algo que choca con la fibra de muchas personas. No estoy diciendo que debe cambiar porque hay algo que está mal con su estilo natural. En cambio, usted debería tratar de relacionarse con los demás de maneras que les sean más fáciles de aceptar y les provean apoyo y aliento.

Este enfoque quiere decir ir más allá de sus necesidades para suplir las necesidades de su cónyuge. Es uno de los métodos más prácticos que conozco de vivir el mandamiento que se nos da en Filipenses 2:3, 4:

> No hagan nada por egoísmo o vanidad; más bien, con humildad consideren a los demás como superiores a ustedes mismos. Cada uno debe velar no solo por sus propios intereses sino también por los intereses de los demás.

La meta no es cambiar a su cónyuge, pero el matrimonio lo hará cambiar a usted. Usted se vuelve menos egoísta, su enfoque es la otra persona, y está dispuesto a ajustarse para suplir las necesidades de ella.

Por último, **recuerde que Dios los ha hecho un equipo, y su equipo es más fuerte debido a sus diferencias.** Dios los puso a los dos juntos para que se completen el uno al otro y para cumplir Sus propósitos para sus vidas juntos.

Cuando Dios creó al hombre, vio que algo no estaba bien. Dios dijo: «No es bueno que el hombre esté solo. Voy a hacerle una ayuda adecuada» (Génesis 2:18). La mujer que Dios creó fue designada solamente para Adán, como una ayuda.

Para muchas parejas casadas, este es un pensamiento asombroso. Puedo escucharlo ahora: «¿Usted quiere decir que debo alegrarme por las debilidades de mi cónyuge?» Sí, y también alegrarse por todas las suyas.

Entonces, si usted y su cónyuge son diferentes como esposo y esposa, las posibilidades son de que no van a tratar a sus hijos de la misma manera.

Un amigo me contó que un día regresó del trabajo a su hogar y encontró a su hijo de cinco años subido al techo de su furgoneta, tratando de clavar un clavo en un palo de cinco centímetros de ancho por un metro de largo a través del techo del vehículo. La reacción inmediata del padre (él es «D/C») fue bajar al niño del techo de la furgoneta y tomar los pasos disciplinarios necesarios para que eso no fuera a ocurrir nunca más.

Cuando entró a la casa con su hijo debajo del brazo, su esposa le salió al encuentro. La respuesta de ella (que es «I/S») fue: «Bueno, ¿le has dicho alguna vez que no puede clavar clavos en el techo del vehículo?» A lo que él contestó: «No, hay ciertas cosas que él debería saber». Sus estilos diferentes se hicieron evidentes. Él quería que el pequeño carpintero fuera enviado a su dormitorio por los próximos doce años, ella quería ser clemente.

He aquí un padre y una madre mirando la misma situación, al mismo niño y el mismo incidente, pero ambos sacaron conclusiones opuestas. El padre quería castigarlo, la madre quería enseñarle. Juntos son mucho más eficientes para criar a sus hijos que cualquiera de los dos lo sería solo. Al final, el padre decidió hablarle seriamente al hijo, explicarle por qué ese no era un comportamiento aceptable, y advertirle que si sucedía de nuevo sería castigado.

El padre y la madre que forman una sociedad y que entienden, aceptan y aprecian las similitudes y las diferencias mutuas forman el equipo más eficiente para criar a sus hijos.

Aprecie las diferencias

No es fácil ajustarse a otra persona, y en especial si dicha persona tiene un estilo de comportamiento opuesto al de usted, y no es algo que se logre con rapidez. Pero como todo lo que es realmente de valor, el pago que recibe su relación vale la pena la inversión.

Bill y Lynn Hybels lo descubrieron y él lo comparte en su libro titulado *Honest to God?* Allí él dice lo siguiente:

> Las mismas diferencias que solían obstaculizar nuestra relación ahora la hacen mejor. Lo que antes tratábamos de cambiar con tanto empeño, ahora lo apreciamos.... Lynn y yo podríamos haber evitado años de frustración si nos hubiéramos dado cuenta de que no éramos mejor o peor el uno o el otro, simplemente diferentes. Cuando usted acepta y deja de pasar juicios morales sobre esas diferencias, abre la puerta para llegar a un acuerdo que da resultado. Entonces llega a deleitarse en las mismas diferencias que antes les causaban división.[4]

Karen y yo estamos aprendiendo continuamente que nuestras diferencias no son un déficit en nuestra relación, sino que son lo que Dios usa para hacernos un equipo más fuerte.

Yo necesito la habilidad de Karen para ver los detalles, y ella necesita mi habilidad para ver el cuadro completo. Yo necesito su sentido de estructura y seguridad, y ella necesita mi espontaneidad. Ella aprecia mi habilidad para tomar decisiones con rapidez; yo aprecio su enfoque más cauteloso. Yo estoy aprendiendo el valor de ahorrar para cuando nos jubilemos; ella está aprendiendo a gastar el dinero. (No estoy seguro de ganar en esta última.) Nuestros gustos en cuanto a los muebles están comenzando a ser compatibles. Yo todavía quiero descansar; ella todavía quiere rediseñar el jardín del frente de nuestra casa.

¡Pero qué diferencia han hecho nuestras diferencias! Karen se ha convertido en una mujer, esposa y madre maravillosa, y hasta sale de su zona de comodidad para hablar conmigo cuando dicto las conferencias sobre la vida familiar. Y yo estoy aprendiendo que necesito los puntos fuertes de Karen. Ella trae a mi vida cualidades que no tengo. No les puedo decir cuántas veces su naturaleza más cautelosa me ha recordado que debo ir un poco más despacio y mirar las cosas más de cerca, lo cual, en algunas ocasiones, me ha ahorrado mucho dinero.

Nuestras diferencias también nos han ayudado a llegar a ser un equipo más eficaz para criar a nuestros hijos. El estilo de ella que apoya y sostiene es un buen equilibrio para mi estilo directivo. Su enfoque más lento le da estabilidad a nuestra familia, y mi enfoque más rápido nos hace llegar a la playa en el estado de la Florida un poco antes.

Tal vez me podría haber casado con alguien cuyo estilo fuera más parecido al mío, pero desde que conocí a Karen, no me puedo siquiera imaginar amar a alguien como la amo a ella. Karen es el don de Dios para mí.

¡Aunque todavía continúa subiendo el termostato del aire acondicionado!

NOTAS

1 Annie Gottlieb, «The Secret Strenght of Happy Marriages», *McCall's* (Diciembre 1990):94
2 Paul Tournier, *To Understand Each Other,* traducción de John S. Gilmour (Atlanta: John Knox Press, Pillar Books, 1977), 28.
3 Paula Rinehart, «Two of a Kind?», *Discipleship Journal*, No. 46 (1988), 5.
4 Bill Hybels, *Honest to God?* (Grand Rapids, Michigan: Zondervan, 1990), 74.

Epílogo

Algunas veces, después de un taller sobre el designio de los hijos, un padre o una madre se me acerca y dice algo como lo siguiente: «Pero yo no quiero tener que pensar en todo esto. Lo que quiero es decirle a mi hijo: "Haz esto", y que mi hijo lo haga, o "No hagas eso", y que no lo haga. Quiero que mi hijo me obedezca».

Eso *sería* fantástico, ¿no es verdad? Pero lamentablemente el criar a los hijos no trabaja de esa manera, como usted bien lo sabe. No hay duda alguna que criar a los hijos es un trabajo muy arduo. Como terapeuta sobre la familia, Virginia Satir lo expresa así: *Veo esto [el criar a los hijos], como el trabajo más difícil, más complicado, más lleno de ansiedad y el que hace sudar más tinta del mundo.*[1]

Pero permítame regresar y recordarle el cuadro completo. Hemos dicho que Proverbios 22:6 nos da el mandamiento, como padres y madres, de enseñar a nuestros hijos de acuerdo con su propia naturaleza. También dijimos que para hacerlo en forma eficaz, debe saber cómo Dios lo ha diseñado a usted y conocer las inclinaciones únicas de su hijo. Debe convertirse en un estudiante del comportamiento de su hijo, buscando la característica que se encuentra detrás del comportamiento.

Mi orador y escritor favorito cristiano es Charles Swindoll. Su combinación de sabiduría y gracia me ha instruido e inspirado una y otra vez por más de una década. Él ha resumido en forma poderosa lo que le he estado diciendo en este libro, en su libro titulado *The Strong Family:*

> Cuando se trata de criar a los hijos, desarrollando una familia fuerte donde la felicidad y la armonía pueden florecer, hay un punto principal donde se debe comenzar: *conocer a su hijo.* Esta es la perspectiva más profunda, el secreto más provechoso que puedo compartir con usted sobre el tema de criar a los hijos.[2]

Lo que hace que esta declaración sea aun más significativa es lo que dice unas páginas más adelante:

> Uno de mis primeros libros fue *Usted y su hijo.* En dicho libro presenté algunos de estos principios con mucho más detalle de lo que he hecho aquí... .
>
> Lo menciono porque han pasado más de quince años desde que imprimí estas ideas. En aquel entonces nuestros cuatro hijos eran pequeños. Los principios sugeridos estaban en cierta forma en estado embriónico y en forma de teoría, puesto que mi esposa Cynthia y yo estábamos en el proceso de ponerlos en la práctica. Ahora nuestros cuatro hijos tienen ya más de veinte o treinta años [tres de ellos están casados y criando a sus propios hijos], y el más joven está estudiando. Nuestros cuatro hijos ya no son niños pequeños. Hemos tenido la oportunidad de probar si las ideas que les presentamos en aquella época todavía dan resultado. Con agradecimiento a Dios les informo que así es, ¡dan resultado! Ahora que hemos tenido la oportunidad de probar esos principios en el crisol de la vida diaria, es con gran gozo [y alivio] que les anuncio que la verdad de los consejos de Dios han dado buenos resultados. Los principios están dando buenos dividendos... ¡hasta ahora!

(Las ideas y los principios a que se refiere están basados en la misma interpretación de Proverbios 22:6 según se han expuesto en este libro y en la premisa básica de conocer a su hijo.) Charles Swindoll continúa diciendo:

> Si los padres y las madres me preguntaran: «¿Cuál es el mayor regalo que podemos darle a nuestro hijo?»... mi consejo sería, denle el tiempo que toma averiguar cómo él o ella han sido diseñados. Ayude a su hijo a saber quién es. Hable sobre esto con sus hijos. Ayúdelos a conocerse a sí mismos para que aprendan a amarse y a aceptarse a sí mismos tal como son. Entonces, a medida que se incorporan a una sociedad que parece dedicada a tratar de golpearlos para que

tomen otra forma, ellos van a permanecer fieles a sí mismos, seguros en su caminar independiente con Dios.

Él termina con estas palabras:

> He comenzado a darme cuenta de una cosa y es que las personas maduras pueden describirse en trece palabras: saben quiénes son... les gusta quiénes son... son quiénes son... y son *genuinas.*[3]

¿Quién podría decirlo mejor que Charles Swindoll?

Este es el cuadro bíblico: conozca a su hijo, acéptelo y ayúdelo a conocerse a sí mismo. Eso es lo que quiere decir enseñar a su hijo de acuerdo con su inclinación o tendencia. Eso es lo que se requiere para que su hijo crezca de acuerdo con el verdadero designio que Dios le ha dado. Como dije al principio de este libro, hay mucho más en cuanto a la crianza de los hijos que lo que hemos presentado en estas páginas. Pero usted debe comenzar aquí.

¿Cómo puede poner en práctica este cometido? Yo creo que el modelo DISC nos proporciona un lenguaje para describir las diferentes características que encontramos en nuestros hijos, y lo hace de una manera que se puede comprender con toda claridad. También nos da pautas sobre cómo podemos ajustar nuestro estilo para suplir mejor las necesidades de nuestros hijos.

El criar a los hijos por diseño toma tiempo y esfuerzo, y sobre todo, hay que querer hacerlo. Pero estas ideas y principios se pueden llevar a cabo. Confío en que la recompensa valdrá la pena para todos nosotros.

NOTAS

1 Virginia Satir, *Peoplemaking* (Palo Alto, Calif.: Science and Behavior Books, 1972), 197

2 Charles Swindoll, *The Strong Family* (Portland, Oregón: Multnomah Press, 1991), 61.

3 Ibíd., 66, 67.

APÉNDICE A

Cuarenta puntos fuertes de comportamiento que usted puede reflejar a su hijo

Como dije en el capítulo 11, la imagen que su hijo tiene de sí mismo va a depender en gran manera de lo que usted le refleja. El desafío es reforzar las cualidades positivas de su hijo usando alabanza descriptiva que le deje saber las cosas buenas que Dios ha designado en él.

En esta sección encontrará cuarenta características de comportamiento, diez para cada uno de los estilos de comportamiento «D», «I», «S» y «C». Para cada cualidad del carácter, encontrará palabras que dan aliento, las que puede usar para darle apoyo a su hijo o a cualquier otra persona con las mismas cualidades. *Presento estas frases como si usted estuviera hablando con su hijo.* Además, también en forma breve he anotado algunas debilidades (puntos fuertes llevados a un extremo), para que usted las use al hablar con su hijo.

Busque oportunidades diarias para usar las cualidades de su hijo y darle aliento. Y tenga presente que este es un *modelo.* No existen las fórmulas mágicas. Estas son sugerencias para que experimente con ellas. Desarrolle su propia forma de decirlas.

También mire de cerca *cómo* se dicen las cosas, no solo *lo que* se dice. En algunos casos, la cualidad positiva señala cómo esta tendencia va a ayudar a su hijo en el futuro. En otras, se menciona un punto fuerte equilibrado. A medida que comienza a usar la alabanza descriptiva, varíe su estilo, para que la forma en que usted da aliento no suene trillada.

Lea todas esas cuarenta descripciones más bien que simplemente concentrarse en el estilo dominante de su hijo. Recuerde que cada individuo es una mezcla de estilos diferentes; si su hijo es una «I» alta, también puede notar que tiene cualidades anotadas bajo la «D», y así sucesivamente.

Además, como el comportamiento humano fluctúa, es posible que a veces usted vea que su hijo expresa los puntos fuertes de otros estilos. Cuando esto suceda, hágase una nota mental o verbal. Déjele saber a su hijo que es posible desarrollar habilidades en esferas que no son naturales para nosotros.

Mucha de la información siguiente ha sido adaptada de dos recursos desarrollados por Wes Neal: *Seventy Positive Qualities for the Profile of Appreciation* (1988), y *Turning Weaknesses into Strengths* (1989). Estoy profundamente agradecido a Wes por permitirme incluir este material. Si usted quisiera saber más en cuanto a estos recursos y a su ministerio, puede escribir a: Champions of Excelence, P.O. Box 627, Branson, Missouri 65616, U.S.A., o puede llamar al 417/334-7037.

Cualidades dignas de alabanza del «D» alta en su vida

DINÁMICO

Puesto que eres dinámico y enérgico puedes tomar acción cuando otras personas tienen reparos o están buscando cómo salirse de la situación. Debido a tu determinación, puedes enfrentar un desafío sin necesidad de que se te tenga que repetir una y otra vez que hagas algo. En realidad, tú eres la clase de persona a quien le gusta realizar asignaciones difíciles. Las ves como desafíos que van a ampliar tus habilidades.

El dinamismo, equilibrado con ser sensible a los sentimientos de los demás es un punto fuerte muy bueno, especialmente cuando lo usas para suplir las necesidades de otras personas.

Debilidades relacionadas: insensible y falto de empatía.

DETERMINADO

La determinación es uno de los puntos fuertes que tienen las personas que obtienen logros. Significa que puedes decidir hacer algo y no vas a detenerte hasta que lo hayas hecho. Claro que habrá obstáculos en el camino, pero tu determinación va de alguna forma a encontrar la manera de vencer esos obstáculos, ya sea saltando sobre ellos, caminando a su alrededor o en medio de ellos.

Algo muy importante en cuanto a la determinación es mantener la mente abierta a ideas y formas mejores de hacer lo que estás haciendo. Así que a diferencia de la persona obstinada que dice: «Voy a seguir con mi plan original no importa lo que pase», tú estás abierto a planes e ideas que te ayudarán a finalizar tu tarea.

Tu determinación puede ser una inspiración para los demás y muestra que Dios puede agudizar la mente de una persona para que vea los obstáculos en el camino.

Debilidades relacionadas: autoritario, dominante, testarudo.

DILIGENTE

Tú dedicas un esfuerzo serio y dinámico a lo que comienzas a hacer. Algunas personas comienzan un proyecto con buenas intenciones pero les falta la habilidad de seguir con él hasta terminarlo. Tú tienes la capacidad de trabajar en un proyecto hasta que está terminado.

Es por eso que se te puede tener confianza de que vas a hacer un trabajo lo mejor que puedas. Este punto fuerte te permitirá tener éxito en lo que emprendas porque no vas a detenerte hasta que hayas alcanzado tu objetivo.

Debilidades relacionadas: no piensa más que en una cosa, demasiado indulgente con sus intereses propios, nunca disminuye la velocidad.

VALIENTE

Tú puedes mantener el curso de la acción que crees que debes tomar. Tal vez sientas temor frente al peligro, pero continuarás haciendo lo que crees que es correcto hacer, porque es lo que quieres hacer.

Tal vez otras personas comienzan algo pero caen al costado del camino frente al peligro o a las dificultades. Pero eso no sucede contigo. Tú tienes la fuerza que te dan tus convicciones y la voluntad de mantenerte firme aunque estés solo, si es necesario. A medida que mantienes el valor que Dios te ha dado en un equilibrio apropiado con una manera de pensar sensata, continuarás siendo una inspiración para todos los que están a tu alrededor.

Debilidades relacionadas: imprudente, temerario.

DECISIVO

A diferencia de las personas que parecen vacilar debido a las dudas, tú puedes tomar decisiones. Tienes la habilidad de considerar todos los hechos y hacer tu elección basado en lo que crees que es la mejor opción disponible.

Ser decisivo no quiere decir que siempre vas a tomar las decisiones rápidamente, ni tampoco que tus decisiones siempre van a ser fáciles. Pero cuando tú tomas una decisión, te mueves hacia delante y no tienes necesidad de mirar hacia atrás y formularte preguntas. Si tú decisión no es la correcta, tienes la habilidad de aceptarla como un error y aprender de él.

En el futuro, esta tendencia les puede dar a las personas con las que vivas y con las que trabajes un sentido de seguridad y confianza en ti. Solo ten presente que otras personas pueden querer ser incluidas en tomar la decisión, especialmente a las que las afecta.

Debilidades relacionadas: obstinado, demasiado independiente.

ORIENTADO HACIA LAS METAS, DECIDIDO

Ser decidido es un punto fuerte de todas las personas que alcanzan grandes logros. Quiere decir que tienes la habilidad de darle dirección a tus acciones. Tú no das golpes en el aire sin dirección alguna; diriges tus acciones hacia los logros.

Tienes la habilidad de saber los resultados que quieres obtener, de desarrollar un curso de acción para obtener esas metas y luego lograrlas. Tal vez otras personas hablen de las cosas que quieren hacer, pero tus acciones son las que hablan por ti. ¡Consigues resultados!

Actúas con un propósito, dirigiendo tu energía y acciones hacia lo que quieres lograr. Debido a que eres una persona orientada hacia las metas, se te puede tener confianza de que vas a usar todos tus recursos para realizar lo que te has comprometido a hacer.

Debilidades relacionadas: inflexible, empuja demasiado.

PERSEVERA

Tienes la habilidad de soportar penurias y de vencer obstáculos. Todos tenemos un punto en el que abandonamos cuando las cosas se ponen demasiado difíciles. Sin embargo, para algunas personas el punto en que abandonan es muy cerca del comienzo, y eso no es lo que sucede contigo.

Tú pareces poder continuar aun cuando estés cansado, y tal vez sientas que quieres abandonar. De alguna forma eres capaz de tomar de dentro de ti, o posiblemente de tu dependencia en Dios, para encontrar las fuerzas y seguir adelante.

Debilidades relacionadas: demasiado competitivo, nunca disminuye la velocidad.

DIRECTO, FRANCO

Ser directo y franco significa que eres honesto y andas sin rodeos en tus relaciones con la gente. Nunca se tienen que preguntar qué estás pensando, tú se lo dices.

Este puede ser un punto fuerte agradable si se le dice a la gente lo que la gente quiere oír en una situación dada, o en situaciones cuando las personas quieren a propósito engañar a otros. Se puede contar con que tú hablas en serio. Mientras uses este punto fuerte con tacto, encontrarás que la mayor parte de la gente apreciará tu franqueza.

Debilidades relacionadas: falta de tacto, tajante, duro, irrespetuoso, difícil.

CONFIADO

Tú sabes las habilidades que tienes, y tienes el sentido de saber qué puedes y qué no puedes hacer con ellas. Puesto que eres una persona segura, confiada, crees que puedes hacer una contribución valiosa a otras personas, y sabes que puedes usar tus puntos fuertes para hacer una diferencia en lo que te interesa.

Tu confianza te permite dedicar tus mejores esfuerzos a lo que haces sin tener temor de la forma en que la gente lo interpreta. Te permite cometer errores sin sentirte destrozado después. Una persona como tú, que tiene la libertad de cometer errores, también tiene la libertad de alcanzar el éxito. Ten presente que el hecho de que eres confiado, equilibrado con una humildad genuina, es una inspiración para la gente.

Debilidades relacionadas: autosuficiencia, presunción.

TIENE MUCHOS RECURSOS

Tú puedes tratar con los problemas en forma rápida y eficaz. Algunas personas se apartan de cualquier cosa que parezca una dificultad, pero no es lo que tú haces. No es que tú quieras que las cosas sean difíciles, tú pareces ver los problemas de manera diferente.

Las personas que huyen de las dificultades parecen creer que los problemas tienen poco o ningún valor compensador. Como persona de recursos, tú ves los problemas bajo una luz mucho más positiva. Los ves como oportunidades para encontrar soluciones. Algunas veces tú usas los recursos que tienes a disposición para encontrar una solución. O te las ingenias para encontrar formas de manejar un problema. El asunto es que puedes ser alguien que resuelve bien los problemas, y en el mundo en el que vivimos ese es un punto fuerte muy bueno.

Debilidades relacionadas: demasiado independiente, maquinador.

Cualidades dignas de alabanza del «I» alta en su vida

PERSONA ORIENTADA HACIA LAS PERSONAS

No hay duda alguna, tú eres orientado hacia las personas. A ti te gustan tus amigos y quieres que ellos gusten de ti. Realmente quieres que la gente te acepte.

Algunas personas se sienten incómodas cuando están en un lugar de prominencia, pero no es lo que sucede contigo. Cuando tú estás frente a un grupo, cobras vida. Te encanta divertir a los demás, hacer que la gente se ría y pasar un tiempo agradable. Para ti es, cuantos más, mejor.

También tienes la habilidad de tranquilizar a las personas. Cuando se está desatando un conflicto, tú trabajas para construir puentes entre la gente y ayudarlos a llevarse mejor.

Mientras mantengas este punto fuerte equilibrado con la habilidad de tomar una posición firme cuando los demás tratan de que hagas algo que sabes que no está bien, podrás ser un líder que no cede ante las presiones del grupo.

Debilidades relacionadas: demasiado dependiente en lo que la gente dice y piensa de él, cede con facilidad ante las presiones del grupo, hace promesas que no pueden cumplir, se compromete a hacer demasiados proyectos.

BUEN COMUNICADOR

No te cuesta hablar. Tienes el don de expresar tus pensamientos, opiniones e ideas. Tienes la capacidad de expresarte por medio de las palabras de manera clara, así que la gente puede entender con facilidad tus pensamientos e ideas.

La comunicación positiva es uno de los puntos fundamentales para tener relaciones positivas. También es algo muy útil para una persona que quiera ejercer influencia en la vida de los demás. Tus habilidades para comunicarte te ayudarán a compartir con los demás las ideas que creen que son valiosas, y al hacerlo, puedes darle forma a la manera en que piensan los demás.

Debilidades relacionadas: habla demasiado, interrumpe cuando otros están hablando, zalamero, no escucha bien a los demás.

DA ÁNIMO

Tú eres excelente para animar a las personas con palabras sinceras y acciones que ayudan. En ocasiones, todos perdemos la perspectiva de las cosas y nos sentimos un poco deprimidos. Entonces es cuando necesitamos alguien como tú, porque tienes la habilidad de olvidarte de ti mismo y de tus problemas para ayudar a los demás a ver las cosas que en realidad pueden resolverse.

El dar ánimo, aliento, puede hacerse de diferentes formas. Algunas veces tú usas las palabras para hacer sentir bien a alguien; en otras ocasiones haces algo para ayudar a una persona que tiene una necesidad. O tal vez tomes tiempo para estar con alguien, acompañándolo y tratando de entenderlo. De cualquier forma que lo hagas, tu aliento es como una brisa de aire fresco para mucha gente.

Debilidades relacionadas: cumplidos que no son sinceros.

EXPRESIVO, DRAMÁTICO

Tú tienes el don de hablar de una forma en que la gente entiende claramente lo que dices. Algunas personas usan un lenguaje simple, con palabras comunes y corrientes para expresarse. Tú eres un artista con las palabras, y cuando hablas, la gente escucha usando la imaginación.

Muchas veces usas las manos para expresar un punto. El rostro te brilla con la intensa emoción, y el tono de tu voz cambia y va de alto a bajo. Todo esto ayuda a que te entiendan porque la gente participa en lo que estás diciendo.

Ese es un punto fuerte muy bueno para comunicar, junto con la verdad, la emoción de lo que dices. La gente puede entender las descripciones vívidas mucho mejor que las simples palabras. Tu expresividad ayuda a otras personas a ver la vida con mucho más color.

Debilidades relacionadas: exagera.

BUEN SENTIDO DEL HUMOR

Tú tratas de ver el lado menos complicado de las cosas y ver lo que puede ser gracioso en ellas. Es agradable estar con una persona como tú, que tiene un buen sentido del humor, no porque todo el mundo quiera reír, sino porque por lo general alguien que tiene buen sentido del humor tiene una actitud positiva.

El buen sentido del humor ayuda a que la gente se sienta tranquila y puede ser usado para aliviar situaciones tensas. Las personas como tú nos ayudan al resto de nosotros a tomar las cosas con más calma y a aprender que Dios sabía lo que hacía cuando Él nos dio el don de la risa.

Debilidades relacionadas: chistoso, bromista, no toma las cosas en serio (usa el humor para pasar por alto los problemas).

TIENE IMAGINACIÓN

Te ha sido dada una imaginación activa y creadora. Tú te puedes formar una imagen en la mente y ver algo con claridad cuando no hay nada que se pueda ver en forma tangible. Algunas personas con una imaginación como la que tú tienes han creado grandes obras de arte, literatura y drama; han inventado maquinarias y han producido ideas nuevas y proyectos que mejoraron nuestra forma de vivir.

La imaginación es la madre de la invención. Las ideas abren fronteras nuevas. Tu imaginación te permite ver posibilidades en el futuro, cosas que aún no han sido planeadas.

Con tu imaginación, le puedes traer mucho bien al mundo, porque Dios te ha dado la habilidad de ver lo que puede ser, no simplemente lo que es.

Debilidades relacionadas: sueña despierto, pierde el sentido de la realidad.

ENTUSIASTA

Tú pones tus intereses y esfuerzos entusiastas para perseguir lo que quieres. Te das de lleno a tus actividades. Algunas personas simplemente hacen las cosas sin convicción, pero eso no sucede contigo. Tú vives la vida con intensidad y vehemencia. Pocas veces la vida es una rutina para ti; es una oportunidad para que les expreses a los demás lo que crees que es importante.

Te agrada un paso más rápido y te gusta la libertad de escoger lo que quieres hacer. Esto aumenta tu entusiasmo y pone una sonrisa en tu rostro.

Con este punto fuerte, puedes hacer un impacto grande para el bien en las vidas de muchas personas, ayudándolas a que sientan y vean las cosas que están haciendo de una forma más positiva.

Debilidades relacionadas: desorganización, falta de objetividad.

PERSUASIVO

Esto quiere decir que tienes la habilidad de decir palabras que logran que otras personas estén de acuerdo con tus ideas y tus cursos de acción. Como resultado de lo que dices, la gente se formará una actitud nueva o hará algo que no habría hecho de no haber sido por ti.

Los grandes líderes son personas persuasivas, porque tienen que lograr que gente de diferentes trasfondos y aptitudes trabajen juntas para lograr objetivos específicos. Tú tienes una condición muy importante para el liderazgo, y encontrarás gran demanda para tu habilidad, siempre y cuando la uses de manera positiva.

Debilidades relacionadas: manipulador, autoritario.

OPTIMISTA, POSITIVO

Tú pareces buscar lo mejor en la gente y en las situaciones. Eso es lo que yo llamo optimismo. Una persona optimista busca, y en realidad espera, el mejor resultado posible de la mayor parte de las situaciones.

Algunas personas solo ven lo negativo y se enfocan demasiado en los problemas que tal vez encuentren en diferentes situaciones. Tienes una actitud de esperanza, expectativa, aun cuando las cosas no se ven muy bien. A pesar de las circunstancias, no te desanimas con facilidad. Cuando el optimismo está unido a un estudio cuidadoso de los hechos, puede inspirar a otros a que comiencen a trabajar para lograr lo mejor, en lugar de conformarse con la mediocridad.

Claro que algunas veces tienes pensamientos negativos, igual que todo el mundo. No todas las situaciones difíciles parecen tener algo bueno en ellas. Pero, por lo general, tú eres una persona que ve las cosas en su aspecto más favorable y que está dispuesta a trabajar para ver las dificultades de una manera positiva. Tu enfoque positivo es el fundamento sobre el cual se pueden realizar nuevos planes. También ayuda a levantar el ánimo de la gente.

Debilidades relacionadas: idealista, poco realista, falta de objetividad, demasiado emocional aun cuando se le presentan los hechos; pasa por alto los hechos para enfatizar los sentimientos.

ESPONTÁNEO Y FLEXIBLE

A ti te gustan las actividades y puedes involucrarte en algo en un instante sin previo aviso. A algunas personas les gustan planear algo con anticipación; hacer planes es bueno, pero hay veces cuando es mejor hacer algo en forma espontánea. Tú tienes habilidad para ser espontáneo.

Puedes tomar un proyecto y hacerlo rápidamente, y te gusta la aventura de probar cosas nuevas y diferentes. Por lo general no te perturba que las cosas no salgan como quieres; tú te ajustas a las circunstancias, vas con la corriente y sacas el mejor partido posible. No te gusta estar atascado con un montón de detalles. Te gusta actuar según tu intuición y explorar tus presentimientos. Esto hace que sea agradable estar contigo.

Debilidades relacionadas: impulsivo, nada le urge, desorganizado.

Cualidades dignas de alabanza del «S» alta en su vida

ACEPTA A LA GENTE

Tú haces que las personas se sientan bien en cuanto a sí mismas. Ellas saben que pueden estar tranquilas y ser genuinas a tu lado; no necesitan simular ser alguien que no son cuando están contigo.

Al permitir que las personas sean como son, les das la libertad de cometer errores. Cuando la gente tiene la libertad de fracasar, también tienen la libertad de tomar riesgos, lo cual les da la oportunidad de alcanzar grandes logros.

Así que, al aceptar a la gente, les estás ayudando a que construyan la base sobre la cual pueden alcanzar el éxito y la satisfacción.

Debilidades relacionadas: falta de convicción, ser demasiado indulgente.

ALEGRE

La mayor parte de la gente quiere obtener satisfacción en lo que hace, pero no todo el mundo lo logra. Algunas personas colocan normas tan altas para sí mismas que nunca sienten mucha satisfacción y realización en lo que logran.

Tú eres una persona contenta y plácida, aun cuando surgen problemas, lo cual te da la capacidad de ser más positivo que algunos otros. En realidad ves algunos beneficios en los problemas. Esto les da a las personas un sentido de más calma cuando están contigo. Tú tienes la clase de enfoque que te capacita para disfrutar la vida todos los días.

Debilidades relacionadas: perezoso, sin motivación, falta de iniciativa.

AYUDA A LA GENTE

En el mundo de hoy en día es muy fácil involucrarnos tanto en lo que hacemos que no nos damos cuenta cuando alguien puede necesitar que le demos una mano. Pero tú te das cuenta, y estás dispuesto a ayudar aun cuando signifique un sacrificio para ti hacerlo. Estás dispuesto a ayudar, no para recibir alguna recompensa personal, sino simplemente porque sabes que alguien necesita ayuda. Tú quieres hacer lo mejor que puedes por esa persona, aun cuando no te lo agradezcan.

Mucha gente dice que la persona que les causa mejor impresión es la que está dispuesta a tenderles la mano.

Las personas que comparten tu vida saben que tú las amas, y que vas a trabajar para ayudarlas a encontrar las formas de resolver sus problemas. Sin duda, tu preocupación anima mucho a las personas a tu alrededor. Necesitamos más gente en el mundo como tú, que ayude a los demás.

Debilidades relacionadas: demasiado complaciente, saca siempre de apuros a los demás.

COOPERA CON LA GENTE

Tú tienes la habilidad de cooperar, es decir, que te adaptas para trabajar con la gente de una manera agradable. No te sientes amenazado con lo que otros te dicen, ni tampoco eres dominante cuando expresas tus ideas, aun cuando tienes ideas buenas que compartir. Crees que otras personas también tienen buenas ideas y estás dispuesto a realizar sacrificios personales para obtener los mejores resultados cuando sabes cómo dichas personas quieren que se hagan las cosas.

Eres bueno para trabajar en equipo y sabes que, por lo general, dos pueden lograr más que uno cuando trabajan juntos. Tu habilidad de cooperar, mientras tanto puedas compartir tus ideas, será algo muy positivo para ayudarte a obtener el mejor resultado de tus proyectos.

Debilidades relacionadas: falta de convicciones, demasiado complaciente, falta de dinamismo, cede con mucha facilidad.

SENSIBLE, COMPASIVO

Tú sientes dolor cuando otra gente siente dolor y eres feliz cuando otros son felices. Vives tu propia vida, pero puedes compenetrarte con lo que experimentan los demás y sentir lo que ellos sienten. La gente se siente cómoda a tu lado porque a todos nos gusta estar con personas que tratan de entendernos.

No solo vas a sentir lástima por alguien, sino que te desvives por ayudar. Puedes consolar a las personas que pasan por momentos de tragedia o dolor, a veces simplemente estando a su lado.

Debilidades relacionadas: demasiado crédulo, fácilmente influido, demasiado cargado con los problemas de los demás, y se toma esos problemas como propios.

SUMISO, OBEDIENTE

Tanto los que siguen como los que dirigen deben tener este punto fuerte. Ser obediente quiere decir que estás comprometido a vivir de acuerdo con los límites que te ponen tus autoridades (por ejemplo, tu padre y tu madre, tus maestros, tus jefes).

Tal vez no estés de acuerdo con todo lo que las autoridades en tu vida deciden, pero haces lo mejor que puedes para llevar a cabo las tareas y las responsabilidades que se te asignan. En una sociedad que a menudo glorifica la individualidad, sin tener en cuenta cómo afecta a otras personas, tú das el ejemplo de cómo las cosas funcionan mejor dentro de la estructura apropiada de la autoridad.

Debilidades relacionadas: demasiado crédulo, de voluntad débil, dispuesto a comprometer su sentido de responsabilidad.

ESCUCHA BIEN A LA GENTE

Tú tiendes a escuchar en lugar de hablar. Prestas mucha atención a lo que dice la gente y piensas antes de hablar para que lo que dices complemente lo que otra persona ha dicho.

Este es un punto fuerte muy bueno para desarrollar relaciones con otras personas. Algunas personas están tan interesadas en hablar que no prestan atención a lo que dicen los demás. Simplemente están esperando la oportunidad para hablar otra vez. A medida que tú mantienes tu punto fuerte de escuchar en equilibrio con responder a lo que dicen los demás, harás que la gente se sienta apreciada.

Debilidades relacionadas: no se comunica.

ESTABLE

Te sientes muy cómodo con las rutinas y la forma familiar de hacer las cosas. Te sientes incómodo cuando las cosas cambian con demasiada rapidez; prefieres que todo quede igual.

En un mundo que parece cambiar todos los días, no es siempre posible mantener todo igual. Lograr un equilibrio entre tu temperamento firme con algo de flexibilidad en las situaciones apropiadas, puede ayudarte a procesar el cambio con más eficiencia. Debido a que eres una persona estable, tú puedes ser un ancla cuando las aguas de la vida rugen a causa de la tormenta.

Debilidades relacionadas: resiste el cambio o las ideas nuevas, inflexible, obstinado.

MODESTO

Ser modesto significa que no te empujas al centro de la atención pública por cosas que has dicho o hecho. En otras palabras, no te desvives por llamar la atención.

Te sientes más cómodo hablando de los logros de otras personas que de los tuyos propios. Quieres ser apreciado, pero no en público. Las personas modestas como tú son como una brisa refrescante en un mundo que quiere ser notado.

Debilidades relacionadas: resiste los cumplidos, le quita importancia a la alabanza, y no le da importancia a sus propias habilidades.

DIGNO DE CONFIANZA

Se puede confiar que vas a hacer lo que has dicho que vas a hacer, y cuando has dicho que lo harás. Te esfuerzas al máximo, incluso cuando no te resulte conveniente hacerlo. La gente depende de ti; saben que haces las cosas con responsabilidad y que completas las tareas que has dicho que harás.

Si alguna circunstancia imprevista hace que te sea imposible cumplir una promesa, tratarás de notificar a las personas que corresponde con anticipación. Siempre te vas a esforzar para lograr calidad en lo que haces, aunque sea algo rutinario y lo tengas que hacer una y otra vez.

Eres muy leal, y tu lealtad es tanto hacia una persona como a una causa, aun cuando te cueste mucho sacrificio personal. En los deportes, serías llamado un aficionado leal. En términos cívicos se te llamaría patriótico. Tu firmeza en tus creencias es una inspiración para los que trabajan contigo. Tu palabra es tan confiable como tus acciones. Esa es una de las razones por las que las personas pueden creer en ti. ¡Eres digno de confianza!

Debilidades relacionadas: demasiado complaciente, es fácil sacarle ventaja.

Cualidades dignas de alabanza del «C» alta en su vida

ANALÍTICO

¡Qué punto fuerte tan bueno es poder ver a una persona o situación y darse cuenta con facilidad los puntos débiles y los puntos fuertes! Tú puedes percibir con rapidez cosas en las personas y en las situaciones que a otros se les escapan.

Cuando está bien equilibrado con el discernimiento de saber cuándo señalarle a alguien alguna debilidad o cuándo quedarse callado, tu punto fuerte de ser analítico puede usarse para hacer que las cosas buenas sean aun mejores. Todos los comités que hacen planes necesitan por lo menos una persona analítica que puede darse cuenta con rapidez de lo negativo y lo positivo en una situación. También necesitamos personas analíticas como tú que pueden mirarnos por dentro y ayudarnos a ver nuestros propios puntos fuertes.

Debilidades relacionadas: demasiado crítico, cínico, demasiado analítico.

CURIOSO

Tú tienes una mente que formula preguntas. No estás satisfecho con ver que algo funciona; tú quieres saber cómo y por qué funciona.

Tienes la clase de mente inquisitiva que abre nuevas brechas, que busca respuestas diferentes, más bien que contentarse con lo que ha sido. Gracias a personas curiosas como tú hemos hecho grandes descubrimientos en la ciencia, en la medicina y en la tecnología. La curiosidad, equilibrada con ser sensible a las necesidades de los demás, es un punto fuerte muy bueno si se usa para encontrar nuevas cosas que beneficiarán a otras personas.

Debilidades relacionadas: se mete donde no lo llaman, «interroga» a los demás.

CAUTELOSO

Te gusta hacer las cosas a *tu* tiempo y a *tu* manera, más bien que aventurarte a algo nuevo y diferente. Te gusta pensar las cosas a fondo, evaluando las posibles elecciones y las probables consecuencias antes de hacer algo. El ser cauteloso te evita tomar muchas decisiones apresuradas e insensatas.

Este punto fuerte te previene de tomar decisiones bajo presión para hacer algo que no quieres hacer hasta que decidas hacerlo, lo cual te puede ahorrar muchos dolores de cabeza en el futuro.

Debilidades relacionadas: poco sociable, falta de osadía, escéptico, desconfiado.

CONCIENZUDO

Trabajas duro y tratas de alcanzar la excelencia en todo lo que haces. Enfocas tu atención en los detalles clave y te gusta realizar las tareas en forma precisa y correcta. Te aseguras que las cosas se hagan bien y estás dispuesto a hacer algo hasta que todos los cabos sueltos estén atados.

Debido a este punto fuerte tú eres una valiosa aportación a cualquier equipo. Insistes en que los planes estén completos antes de comenzar un proyecto. Algunas personas tal vez se impacienten un poco contigo porque quieren comenzar a hacer algún proyecto, pero al final verán la sabiduría de tu enfoque.

Debilidades relacionadas: se preocupa demasiado, perfeccionista.

OBJETIVO

Tienes la habilidad de ver todas las perspectivas de un problema o decisión. Puedes discernir los hechos y catalogar las opiniones y los sentimientos. También puedes entender los sentimientos, puntos de vista y trasfondos de los que no están de acuerdo contigo.

Este punto fuerte te permite pesar cuidadosamente todos los aspectos pertinentes de un problema sin distorsionarlos. Esta es una aportación muy valiosa en cualquier grupo.

Debilidades relacionadas: insensible, sin compasión, falta de respuesta emocional.

TIENE DISCERNIMIENTO

Tienes la capacidad de entender bien, tanto a las personas como a las situaciones. En un mundo que da tanta importancia a las apariencias superficiales y a las impresiones rápidas, necesitamos más personas como tú que no se dejarán engañar porque algo se ve bien o porque alguien suena razonable.

Tú tienes la habilidad de abarcar la realidad que yace debajo de la superficie. En muchas situaciones, tu intuición te permite, no solo entender la verdad, sino saber lo que es correcto hacer. El discernimiento penetrante alcanza su mayor potencial cuando es guiado por los principios de la Biblia. Como puedes ver, con este punto fuerte tú puedes contribuir mucho trabajando con la gente. Así que continúa pensando profundamente sobre todas las cosas para obtener una mejor comprensión de la acción que debes tomar con la gente que conoces y en las situaciones que enfrentas.

Este punto fuerte se puede usar para ayudar a la gente que no se está llevando bien para que se entienda mejor. Tú eres una persona de mucho valor para cualquier grupo.

Debilidades relacionadas: puede ser difícil seguir la lógica de esta persona o su camino hacia las conclusiones.

SERIO, PREPARADO

Tú tomas tu trabajo y tus responsabilidades con seriedad, y quieres poner tu mejor esfuerzo en lo que escoges hacer. Debido a que los resultados excelentes rara vez suceden por accidente, tú sabes que el mejor esfuerzo requiere una buena preparación. Tienes la habilidad de pensar anticipadamente y planear lo que requiere una tarea en cuanto a tiempo, talento y esfuerzo. Esto ayuda a la gente a tener confianza en lo que haces porque saben que tú has meditado tus acciones profundamente.

Debilidades relacionadas: perfeccionista, le toma demasiado tiempo completar las asignaciones.

TIENE DOMINIO PROPIO

Tener dominio propio quiere decir que puedes mantener tus emociones y reacciones controladas y que puedes mantenerte ecuánime cuando tal vez otras personas crean que van a explotar. Tienes buen dominio de tus deseos y puedes decir no a aquellas acciones que tal vez te pudieran dañar.

El dominio propio también te permite canalizar tus energías en la dirección que quieres seguir. Toda la gente de éxito ejercita esta cualidad para lograr lo que se han propuesto.

Debilidades relacionadas: poca sensibilidad.

DILIGENTE

Ser diligente quiere decir que trabajas arduamente en lo que tienes que hacer. Parece que algunas personas trabajan duro tratando de no trabajar, pero no es lo que sucede contigo. Tú no estás buscando un camino de salida fácil. Sabes que el trabajo duro va a pagar en el futuro. Es por eso que se puede tener confianza de que vas a hacer un trabajo lo mejor que puedas.

Tu punto fuerte de ser diligente te permite tener éxito en lo que decides hacer porque no vas a parar hasta que lo hayas hecho correctamente. Esto también te hace una valiosa aportación a cualquier proyecto que necesita alguien que sea constante.

Debilidades relacionadas: demasiado exigente o rígido, tanto de sí mismo como de los demás (esto puede estar oculto o debajo de la superficie, más bien que expresado).

HACE LAS COSAS CORRECTAMENTE

Tú tienes normas altas y te adhieres a ellas. No vas a conformarte con hacer menos de lo mejor, y no te gustan los errores. Que las cosas se hagan en forma «correcta» es importante para ti. Mientras tanto equilibres este punto fuerte con tolerancia, y te permites a ti mismo y a los demás que a veces fallen, harás una contribución grande a los planes y a las personas en tu vida. Este punto fuerte proporciona un buen ejemplo a los demás.

Debilidades relacionadas: rígido, opiniones demasiado cerradas, quisquilloso.

APÉNDICE B

Resumen del sistema DISC

ESTILO	D	I	S	C
Tendencias básicas	Paso rápido orientado hacia las tareas	Paso rápido orientado hacia la gente	Paso lento orientado hacia la gente	Paso lento orientado hacia las tareas
Puntos fuertes destacados	Acción decisiva Se hace cargo Consigue resultados Confianza en sí mismo Independiente Toma riesgos	Le gusta divertirse Se involucra con otros Entusiasta Emocional Optimista Buen comunicador	Paciente Pausado Trabaja en grupo Influye calma Estable, firme Bueno para proseguir con su objetivo	Preciso Analítico Atento a los detalles clave Normas altas Intuitivo Controlado
Limitaciones naturales	Impaciente Obstinado Duro o tajante	Desorganizado No es orientado hacia los detalles No realista	Indeciso Demasiado complaciente Demasiado pasivo Sensible	Demasiado crítico Perfeccionista Demasiado sarcástico
Comunicación	Unilateral Directo «Va al grano»	Positivo Inspirador Persuasivo	De dos lados Escucha muy bien Empatético Informa los resultados	Diplomático Observa con agudeza Provee detalles
Temores	Que le saquen ventaja	Pérdida de aprobación social	Pérdida de estabilidad	Hechos irracionales crítico de su trabajo
Lenguaje de amor	Admiración	Aceptación y aprobación	Apreciación	Afirmación
Bajo presión	Autocrático Agresivo Exigente	Ataca emocionalmente (pero tal vez evite la confrontación pública)	Accede Tolera Condesciende	Evita, se retrae Planea estrategia para saldar las cuentas
Ve el dinero como un medio de	Poder	Libertad	Mostrar amor	Asegurar seguridad
Toma decisiones	En forma rápida: Se enfoca en los resultados con muy pocos hechos	En forma impulsiva Si «siente» que es lo correcto	Basado en las relaciones: Confianza en los demás	En forma renuente Necesita mucha información
Necesidades más grandes	Desafíos Cambios Elecciones Respuestas directas	Actividades divertidas Reconocimiento social No estar atado a los detalles	Posición social, estabilidad Tiempo para ajustarse a los cambios Apreciación sincera	Tiempo para realizar trabajo de calidad Hechos Tiempo para analizar
Recarga sus baterías	Actividad física	Tiempo social	Tiempo para no hacer nada	Tiempo a solas

APÉNDICE C

Recursos recomendados

LIBROS RECOMENDADOS SOBRE LA CRIANZA DE LOS HIJOS Y ENTENDER A LAS PERSONAS

Campbell, Ross. *How to Really Love Your Child.* Wheaton, Illinois: Victor Books, 1977, 1992.

Cline, Foster y Jim Fay. *Parenting with Love and Logic.* Colorado Springs, Colorado: NavPress, 1990.

Kimmel, Tim. *Home-Grown Heroes.* Portland, Oregón: Multnomah Press, 1992.

Kimmel, Tim. *Raising Kids Who Turn Out Right.* Sisters, Oregón: Multnomah Books, 1993.

Narramore, Bruce. *Your Child's Hidden Needs.* Old Tappan, Nueva Jersey: Fleming H. Revell, 1990.

Rohm, Robert. *Positive Personality Profiles.* Atlanta: Personality Insights, Inc. 1993. (Este libro está basado en el sistema DISC.)

Sloat, Donald. *The Dangers of Growing Up in a Christian Home.* Nashville: Thomas Nelson, 1986.

Smalley, Gary y John Trent. *The Blessing.* Nueva York: Pocket Books, 1986.

Smalley, Gary y John Trent. *The Gift of Honor.* Nashville: Thomas Nelson, 1987.

Smalley, Gary. *The Key to Your Child's Heart.* Dallas: Word Publishing, 1992.

Smalley, Gary y John Trent. *The Treasure Tree.* Dallas: Word Publishing, 1990.

Smalley, Gary y John Trent. *The Two Sides of Love.* Pomona, California: Focus on the Family, 1990.

Voges, Ken y Ron Braund. *Understanding How Others Misunderstand You.* Chicago: Moody Press, 1990. (Este libro está basado en el sistema DISC.)